UNIVERS DES LETTRES

Sous la direction de
André Lagarde, Laurent Michard, Fernand Angué

BAUDELAIRE

LES FLEURS DU MAL

Extraits

avec une notice sur la vie de Baudelaire, une
étude générale de son œuvre, une **analyse métho-
dique** des *Fleurs du Mal*, des notes, des questions,
des thèmes de réflexion

par

Raymond DECESSE

Agrégé des Lettres

Professeur de Première
au Lycée Jacques Decour

SOMMAIRE

© Bordas, Paris 1966 - 1re édition
© Bordas, Paris 1977 - 1255 790 612

I.S.B.N. 2-04-003737-3 (I.S.B.N. 2-04-004513-9 éd. 1972;
I.S.B.N. 2-04-003841-8 1re publication)

VIE DE BAUDELAIRE (1821-1867)

Incompris, malade et malheureux, BAUDELAIRE avait fini par tenir pour certain que l'homme de génie était une victime de la Providence et de la Société. A lire le récit de sa vie, on peut avoir en effet le sentiment qu'elle a été conduite par une fatalité hostile. Mais on peut aussi se demander si cette destinée n'a pas été acceptée et même voulue, si l'existence a été réellement différente de l'homme.

Sa mère, Caroline Archimbaut-Dufays (1793-1871), souffrait de troubles nerveux et mourut aphasique. Orpheline et pauvre, elle ne fut demandée en mariage qu'à l'âge de vingt-six ans, par un veuf sexagénaire, ami de son tuteur, et rien ne nous dit qu'elle n'en fut pas fort aise. Coquette et tendre, elle était sentimentale à sa manière : raisonnable et mesquine. Elle a certainement aimé son fils, mais tel qu'elle l'aurait voulu : attaché à ses devoirs, conciliant et ambitieux. Elle a toujours cherché, « pour son bien », à le ramener dans la bonne route, et elle l'a torturé de ses reproches comme il la torturait par sa conduite.

La personnalité de Joseph-François Baudelaire (1759-1827) était sans doute plus attachante. D'origine paysanne, entré dans les ordres, il était devenu précepteur des enfants du duc de Choiseul-Praslin. Il avait pris le ton et les goûts de la bonne compagnie et fréquentait les philosophes et les écrivains. Quand, après 1791, les circonstances le ramenèrent à l'état laïque, elles ne firent que prolonger son évolution. Il se maria une première fois en 1797 et eut un fils qui mourut hémiplégique en 1862. Les mouvements révolutionnaires ne l'avaient pas conduit à sortir de son caractère : il garda ses amis dans les deux camps et put leur rendre service, particulièrement aux Choiseul-Praslin dont les biens et les vies étaient menacés. Leur reconnaissance lui valut d'occuper, sous le Consulat et sous l'Empire, de hautes fonctions dans les bureaux du Sénat.

A soixante ans, c'était un homme de l'autre siècle, élégant, de manières distinguées, très « grand seigneur » par bien des côtés. Les pensions qu'il recevait du Sénat et de ses anciens protecteurs, une petite fortune faite de ses économies habilement gérées, lui assuraient une existence agréable dont il consacrait la meilleure partie à la peinture. Il n'y excellait pas. Mais il se plaisait au milieu des belles œuvres et recherchait la compagnie des artistes. C'est à lui que Baudelaire dut son « goût permanent depuis l'enfance de toutes les représentations plastiques ». *(Note autobiographique.)*

1821 (9 avril). Quand CHARLES-PIERRE BAUDELAIRE vient au monde, ses parents habitent à Paris, rue Hautefeuille, un vieil hôtel que le percement du boulevard Saint-Germain fera disparaître. A cette noble demeure se rattachent ses premiers souvenirs : « Enfance : vieux mobilier Louis XVI, antiques, consulat, pastels, société XVIIIe siècle ». *(Note autobiographique.)*

1827 (10 février). La mort de M. Baudelaire provoque chez sa veuve des crises nerveuses qui l'obligent à un séjour dans une maison de santé. Elle quitte l'appartement de la rue Hautefeuille, dont le loyer est sans doute trop élevé, et se loge rue, puis place Saint-André-des-Arts, passant l'été dans la petite propriété de Neuilly. Cette période difficile restera dans la mémoire du poète comme la plus heureuse de sa vie, celle où il a régné sans partage sur sa mère et sur Mariette, « la servante au grand cœur ».

1828 (8 novembre). Mme Baudelaire épouse le commandant Aupick (1789-1857). Pour l'enfant, voilà le premier choc, celui qui a « fêlé » son âme. Désormais, entre sa mère et lui, il y aura toujours cet intrus, autoritaire et bruyant, qu'il rendra responsable de ses difficultés, devant lequel il se sentira humilié chaque fois qu'il devra lui donner la comédie de ses mensonges, qu'il admirera parfois et dont il enviera le succès et le luxe. Du reste M. Aupick remplira tous ses devoirs à l'égard de son beau-fils : veillant à ses études, fier de ses qualités, disposé à le faire bénéficier de ses relations, exigeant seulement qu'il soit un « bon sujet ».

1830 C'est sans doute à Paris, à l'âge de neuf ans, que Baudelaire commence ses études secondaires. Il les poursuivra à Lyon (1832) et de nouveau à Paris, à Louis-le-Grand (1836), suivant le colonel Aupick dans ses garnisons. Il est interne, comme beaucoup des collégiens d'alors. Il en souffre, et d'autant plus qu'il est chétif, sensible et orgueilleux. Il connaît aussi les joies de son âge et consacre une grande part de son temps à rêver.

Ses maîtres lui trouvent de la finesse et de la facilité. Il brille particulièrement en latin : il aura le second prix de vers latins et un accessit de version au Concours

général de 1837. Mais il manque d'application, de sérieux,
et on finira par s'inquiéter du cynisme qu'il affiche et
de sa propension au mensonge.

1839 (18 avril). Un camarade lui ayant glissé un billet, Baudelaire est invité par le surveillant à le lui remettre. Il
détruit le papier et refuse toute explication, au surveillant d'abord, au proviseur ensuite. Il est mis à la porte
du collège. Il achèvera sa philosophie chez un répétiteur
et passera son baccalauréat le 12 août, médiocrement.

Est-ce alors que se place la rupture entre lui et sa
famille? « Les études terminées, a écrit Mme Aupick,
quelle stupéfaction pour nous quand Charles s'est refusé
à tout ce qu'on voulait faire pour lui, a voulu voler de
ses propres ailes et être auteur! Quel désenchantement
dans notre vie d'intérieur si heureuse jusque-là! Quel
chagrin! » (Lettre de 1868.)

En réalité, il y a longtemps déjà que Baudelaire cherche
à affirmer son indépendance, mais sans aller jusqu'à
heurter de front le général. Cette fois encore, il va composer. Il sera pensionnaire d'une institution catholique,
mais assez libre. Il s'inscrira à l'École de Droit (puisque
son beau-père veut faire de lui un diplomate), mais il
en suivra les cours le moins possible.

Pendant dix-huit mois, il vit ainsi, en fils de famille,
élégant, désœuvré, artiste surtout. Comme au collège,
il écrit des poèmes sentimentaux, édifiants parfois, avec,
ici ou là, une note de réalisme brutal, une plongée dans
les gouffres qui font pressentir *Les Fleurs du Mal*.

1841 M. Aupick s'inquiète décidément. Non seulement son
beau-fils ne fait rien d'utile, mais il a les plus mauvaises
fréquentations et elles compromettent sa fortune et sa
santé. Il y a des reproches, des admonestations, qui ne
sont probablement pas accueillis avec l'attitude conve-
nable. Le conseil de famille prend une décision éner-
gique, et traditionnelle : on l'embarquera pour un long
voyage qui fera diversion et lui donnera le temps de
revenir à de meilleurs sentiments.

9 juin. Le *Paquebot des mers du Sud* quitte Bordeaux
à destination des Indes. A son bord, recommandé au
capitaine, le jeune M. Baudelaire, distingué et distant,
qui aura vite découragé les avances des autres passa-
gers. Il semble indifférent à tout, prostré.

1er septembre. On aborde enfin à l'île Maurice. De plus
en plus sombre, il refuse de poursuivre son voyage. Il
ne consent à rembarquer que sur la promesse qu'à l'île
Bourbon on lui donnera les moyens de rentrer en France.

1842 (16 février). L'*Alcide* débarque Baudelaire à Bordeaux. Ce morne voyage alimentera plus tard son imagination et sa légende. Sur le moment, il semble avoir eu les effets bénéfiques qu'on en attendait : on accueille l'enfant prodigue au foyer familial. Le répit sera court.

Juin. Il loue une grande pièce dans l'île Saint-Louis, pour être à l'abri des chagrins de sa mère et des remarques acides de son beau-père. Il est décidé à faire une œuvre, à être responsable de lui-même, à exister enfin. Mais il ne peut se détacher de sa mère : s'il renonce à l'aller voir dans la grande demeure officielle qu'occupe le général (qui commande la place de Paris), il l'appelle à chaque instant, pour se promener avec elle, pour qu'elle le soigne, pour qu'elle l'aide à s'installer, pour qu'elle lui apporte de l'argent. Mais il rencontre Jeanne Duval, et s'englue dans une liaison étouffante. Mais il n'avance pas dans son travail, éternelle victime de la « procrastination », en proie au sentiment de son inutilité, à l'ennui, « bizarre affection qui est à la source de toutes (ses) maladies et de tous (ses) misérables progrès ». *(Le Joueur généreux.)*

Il s'engage pourtant dans la vie littéraire. Comme il est naturel à cet âge, elle consiste d'abord à s'entourer de camarades, peintres ou écrivains « artistes », héritiers des « Jeune-France ». Avec eux, on multiplie les projets : romans, poèmes (une partie des *Fleurs du Mal* a dû être ébauchée dès ce moment). On collabore à des recueils, à des pièces de théâtre, à des articles satiriques. On se fait refuser sa prose par les petits journaux. On recherche les maîtres : Balzac, Nerval, Hugo, et surtout Sainte-Beuve, Gautier et le jeune Banville. On s'enthousiasme pour un passé redécouvert, pour la Pléiade, pour Mathurin Régnier et les poètes mineurs du début du XVIIe siècle.

1843 (juin). Entré en possession de l'héritage paternel, une centaine de mille francs — diminués il est vrai par les dépenses déjà faites pour lui ou par lui — Baudelaire s'épanouit. Il avait quitté l'île Saint-Louis pour la rue Vaneau, il y revient pour s'installer dans un appartement de l'hôtel de Lauzun. Si le loyer n'est pas ruineux (350 F par an!), la décoration est éclatante : tenture rouge et noire, meubles sculptés, tableaux et reliures... Depuis sa sortie du collège, il s'habille avec soin, en dandy, ce qui est « le symbole de la supériorité aristocratique de son esprit ». *(Le Peintre de la Vie moderne.)*

Il est gourmet, généreux. Qu'importe, au reste ? Il

suffira d'écrire des romans pour avoir de l'argent! En
attendant, on lui fait crédit, ou il emprunte.

1844 (juillet). Mme Aupick engage une procédure tendant à
la désignation d'un conseil judiciaire. Elle aura satis
faction le 21 septembre, et le tribunal désignera Me Ancelle,
notaire à Neuilly, pour gérer ce qui reste de l'héritage :
55 800 francs! Baudelaire recevra le revenu : 200 francs
par mois.

Il est malade de colère, affreusement humilié : on le
traite en enfant, on le soumet à l'autorité d'un étranger!
« Persuade-toi donc bien d'une chose [...], écrit-il à sa
mère, c'est que vraiment pour mon malheur, je ne suis
pas fait comme les autres hommes. Ce que tu regardes
comme une nécessité et une douleur de circonstance,
je ne peux pas, je ne peux pas le supporter. »

1845 (mai). La signature de Baudelaire apparaît pour la première fois dans une revue, *l'Artiste*, qui publie le sonnet
A une Dame créole, et sur la couverture d'une brochure :
le *Salon de* 1845.

30 juin. Dans un cabaret de la rue Richelieu, il se donne
un coup de couteau dans la poitrine. On le transporte
chez sa mère. Il a écrit à Ancelle un billet délirant pour
expliquer son geste : « Je me tue — sans chagrin [...]
Je me tue parce que je ne puis plus vivre, que la fatigue
de m'endormir et la fatigue de me réveiller me sont
insupportables. Je me tue parce que je suis inutile aux
autres — et dangereux à moi-même. Je me tue parce
que je me crois immortel, et que j'espère [...] »

Suicide ? Suicide simulé ? On ne sait, et il ne l'a peut-
être pas su lui-même. Il est à bout. Il vient de découvrir
la misère matérielle. Il sent peser sur lui la réprobation
des siens et de la société. Il se reconnaît incapable d'être
autre chose que ce qu'il est. Il fait le geste de se tuer
parce qu'il a échoué et qu'il doit se venger. Ce geste
punit sa mère, le punit, et le délivre.

Quelques mois passés dans sa famille lui redonnent
des forces. Il y apprécie le confort et le luxe. On se charge
de lui, on remet sans doute de l'ordre dans ses affaires.
On croit qu'il va enfin se conduire « comme il faut ».
Il s'en va pourtant, parce qu'il ne veut pas — ou ne
peut pas — tromper le général plus longtemps sur ses
véritables desseins.

1846 Comme en 1842, il est plein de bonnes résolutions.
Ses *Conseils aux jeunes littérateurs*, d'avril 1846, sont
d'une sagesse que dut apprécier Me Ancelle : ayez une

existence rangée, fuyez « l'orgie », le désordre, les créanciers surtout! Ils contiennent des maximes qui éton-
nent sous sa plume : « L'inspiration est décidément la
sœur du travail journalier. » « Il n'y a pas de guignon! »
Avant de partir, il s'est assuré un travail régulier : de
novembre 1845 à mars 1847 il collaborera à de petits
journaux : *Le Corsaire-Satan*, *Le Tintamarre*, auxquels
il fournira des comptes rendus, des chroniques, des
échos. Il inaugure son activité de traducteur en don-
nant (comme étant de lui!) une nouvelle, *Le Jeune Enchan-
teur*, qu'il a trouvée dans un keepsake romantique. Il
écrit des poèmes en assez grand nombre pour annoncer
une publication prochaine. Il poursuit son œuvre de
critique d'art par *le Musée classique du Bazar Bonne-
Nouvelle* et l'excellent *Salon de 1846*.

1847   (janvier). Une longue nouvelle, *La Fanfarlo*, est la dernière et la plus importante des productions de la jeunesse
de Baudelaire. La conception de l'intrigue et des personnages est naturellement balzacienne. Mais l'œuvre a le
charme des premiers romans : à travers son héros, l'auteur
recherche et cultive ses propres singularités. Il nous
donne ainsi une pénétrante analyse de ses goûts, de son
évolution psychologique, de son esthétique surtout.
        Cette période d'activité intense prend fin en mars.
Pendant un an il ne fera plus rien. L'opium, l'éther
qu'on lui donne pour calmer de terribles douleurs devien-
nent un besoin et une jouissance. Il souffre de sa déchéance,
mais il ne renonce pas : « Je crois encore que la posté-
rité me concerne », écrit-il en décembre 1847.

1848   (février). Il participe aux journées révolutionnaires avec
ses amis, Champfleury et Courbet entre autres. Il s'interrogera plus tard sur les raisons de son attitude : « Mon
ivresse en 1848. De quelle nature était cette ivresse?
Goût de la vengeance. Plaisir naturel de la démolition.
Ivresse littéraire; souvenir des lectures. » *(Mon cœur mis à
nu.)*
En réalité, il y a chez lui, profondément, une tendance
à la révolte. Elle peut le mener à une véritable philosophie révolutionnaire, à l'engagement littéraire, à la
revendication d'un nouvel ordre social. Elle se traduit
plus souvent en sarcasmes à l'égard des politiciens bavards,
même quand ils sont proscrits, en haine de la laideur
démocratique ou de l'ignorance du peuple, de l'avenir
qui veut se faire alors que « le monde va finir ». Généralement elle s'exerce contre le poète lui-même qui se

déchire et se détruit, en proie au démon de la perversité qui l'habite.

Cette fois encore, sa conduite paraît incohérente. Il s'inscrit à la Société Républicaine de Blanqui et fonde, avec Champfleury, un journal socialisant (qui aura deux numéros). Il participe aux journées de juin. Mais, en avril et en mai, il est secrétaire de rédaction de la conservatrice *Tribune Nationale* et, en octobre, part pour Châteauroux où il prendra la direction d'une feuille réactionnaire (ne la conservant que peu de jours).

1849   Nous ne savons à peu près rien de sa vie en 1849 et en 1850. Il publie quatre poèmes en trente mois. Son œuvre est pourtant considérable : en 1849, il fait calligraphier deux volumes de vers. L'homme doit traverser une passe difficile. Sa santé est toujours mauvaise. Le général Aupick a été envoyé à Constantinople comme ministre plénipotentiaire. Mme Aupick n'est donc plus là pour aider son fils. Même si elle continue à lui envoyer de l'argent, directement ou par l'intermédiaire d'Ancelle, il ne peut plus compter sur elle. Jeanne Duval, usée et alcoolique, est devenue un fardeau. Depuis longtemps Baudelaire reste avec elle « par devoir », pour expier, du moins l'écrit-il à sa mère.

Décembre. Il part pour Dijon et compte y faire un long séjour. Jeanne Duval l'y rejoint. Il rentre bientôt à Paris.

1851   (mars-avril). *Le Messager de l'Assemblée* publie son étude *Du Vin et du Haschich*, puis *Les Limbes*, onze poèmes destinés « à retracer l'histoire des agitations spirituelles de la jeunesse moderne », le premier fragment important des *Fleurs du Mal*.

Juin. Le général Aupick, nommé ambassadeur à Madrid, passe un mois à Paris. Mme Aupick remet de l'ordre dans les comptes de son fils (qui a plus de 20 000 F de dettes!), le réconforte et repart comblée de promesses. De fait, l'activité de Baudelaire paraît renaître. Il collabore à des revues. Il prépare l'édition de son recueil de poèmes et en envoie quelques pièces à Th. Gautier pour la *Revue de Paris*.

2 décembre. Que fit-il le jour du coup d'État ? Aucun témoin ne nous l'a dit, mais on lit dans *Mon Cœur mis à nu* : « Ma fureur au coup d'État. Combien j'ai essuyé de coups de fusil. Encore un Bonaparte! Quelle honte! » et dans une lettre à Ancelle du 5 mars 1852 : « Le 2 décembre m'a physiquement dépolitisé. »

1852   Baudelaire poursuit et précise l'effort qu'il a commencé
        en 1851 pour asseoir sa position littéraire. Trois textes
doctrinaux : une *Notice sur Pierre Dupont* (1851) et
deux articles sur *Les Drames et les Romans honnêtes*
(novembre 1851) et sur *L'École païenne* (janvier 1852)
l'ont situé, en l'opposant aux tenants du « bon sens »
comme à ceux de « l'art pour l'art ».

Un renouvellement se fait aussi dans sa vie privée.
En avril, il s'en va de chez Jeanne Duval, sans l'avertir,
sans dire un mot. « Vivre avec un être qui ne vous sait
aucun gré de vos efforts, qui les contrarie par une mala-
dresse ou une méchanceté permanentes, qui ne vous
considère que comme son domestique ou sa propriété [...],
une créature qui ne m'admire pas, et qui ne s'intéresse
même pas à mes études [...] enfin est-ce possible cela,
est-ce possible ? » (Lettre du 27 mars 1852.)

Il lui reviendra du reste, la quittera, reviendra encore
à « (sa) seule distraction, (son) seul plaisir, (son) seul
camarade. » Jusqu'au bout, vieille et malade, elle restera
sa hantise et son remords, son fardeau aussi.

Délivré du démon noir, il s'éprend d'Apollonie Sabatier à qui il voue un culte : elle est « (son) Ange gardien,
(sa) Muse et (sa) Madone. » Mais les billets et les vers
qu'il lui adresse sont anonymes : elle doit être l'idole,
inaccessible.

C'est encore l'année de la découverte d'Edgar Poe.
En 1848, il avait donné la traduction d'une de ses nouvelles, mais maintenant il lit l'ensemble de l'œuvre et
éprouve « une incroyable sympathie » pour l'auteur.
Les deux hommes ont en commun bien des traits : la
confusion de l'intelligence et de l'émotivité, la sensualité,
l'absence de volonté. Les destinées se ressemblent : ils
sont des victimes du sort et de la société. Leur conception de la poésie est apparentée : ils ont besoin de pléni-
tude et de perfection, de rareté aussi; ils font appel à
l'imagination et aux forces de suggestion. Jusqu'en 1865,
Baudelaire consacrera une grande partie de son activité
à le traduire. De ce frère d'élection, d'un écrivain que
ses compatriotes laissent au second plan, il fera le maître
des poètes français.

1853   Les deux années suivantes sont employées à ces traduc-
        tions et à de vagues projets de théâtre.

Il se sent toujours paralysé par la pauvreté. Depuis
1846 il va d'hôtel en appartement meublé, fuyant devant
les créanciers, devant la misère, devant on ne sait quoi.
Comme le général Aupick, nommé Sénateur d'Empire,

est rentré à Paris, il harcèle sa mère de ses récrimina-
tions, de ses appels, de ses demandes d'argent.

1855   La chance paraît à nouveau sourire. *Le Pays*, qui a publié
la plupart des traductions de Poe, offre à Baudelaire
la chronique des Beaux-Arts à l'Exposition Univer-
selle. Il écrit des études admirables, mais qui n'ont pas
leur place dans un journal. *Le Pays* ne publie que les
deux premières.

1er juin. *La Revue des Deux Mondes* donne dix-huit
poèmes, sous le titre, encore inédit, de *Fleurs du Mal*.
Leur auteur, assure le critique du *Figaro*, « ne sera plus
cité désormais que parmi les fruits secs de la poésie
contemporaine ». Buloz se gardera de lui ouvrir à nouveau les portes de la revue.

1856   (mars). Les *Histoires extraordinaires* d'Edgar Poe paraissent en volume. Les lecteurs sont aussi enthousiastes
du traducteur qu'ils l'étaient peu du poète.

Décembre. Son ami Poulet-Malassis lui propose
d'éditer *Les Fleurs du Mal* que Michel Lévy, chez qui
elles sont annoncées depuis 1846, ne se décide pas à
publier.

1857   L'année décisive, celle qui lui permettra de donner sa
mesure, est enfin arrivée. Elle va être bien remplie, et
décevante.

Mars. Les *Nouvelles Histoires extraordinaires* ont un
grand succès. Elle sont accompagnées de *Notes nouvelles
sur Edgar Poe* qui reprennent les notices de 1852 et de
1856 pour aboutir à l'admirable définition d'un art
qui est plus celui du traducteur que celui de Poe.

28 avril. Le général Aupick meurt. Ni dans les lettres
de faire-part, ni dans le testament ne figure le nom de son
beau-fils à qui l'événement paraît « un rappel à l'ordre » :
il est temps qu'il se transforme, qu'il soit digne de sa
mère, qu'il la satisfasse. Mais cette mère, qu'il croyait
retrouver et garder pour lui seul, se retire à Honfleur,
dans la « maison-joujou » que le général avait achetée
en 1855.

25 juin. *Les Fleurs du Mal* sont mises en vente. Elles
ont été tirées à 1 300 exemplaires vendus 3 F. Aussitôt
le Figaro se déchaîne contre ces vers où « l'odieux coudoie l'ignoble ». Le Parquet fait saisir l'ouvrage et poursuit l'auteur et les éditeurs. Le 20 août, le tribunal correctionnel condamne Baudelaire à 300 F d'amende et ordonne
la suppression de six pièces qui offensent la morale
publique et les bonnes mœurs. L'incident assure la

publicité du livre, fouette l'ardeur de l'auteur qui multiplie les projets.

24 août. Six *Poèmes nocturnes*, dont quatre inédits, paraissent dans une petite revue, *Le Présent*. C'est le début de l'entreprise la plus originale et peut-être la plus importante de Baudelaire, de celle aussi qui connaîtra la fortune la plus contraire.

1859   A la fin de 1857, l'activité de Baudelaire est encore une fois très ralentie. En 1858, il ne publie guère que le troisième volume des traductions de Poe et *Le Poème du Haschisch :* il est malade, en proie à des crises nerveuses; il veut se réfugier auprès de sa mère — et ne se décide pas à quitter Paris. 1859 est meilleur : il fait plusieurs séjours à Honfleur, se remet à ses traductions, compose de nouvelles *Fleurs*, une très bonne étude sur Th. Gautier. Il écrit surtout les *Lettres sur le Salon de 1859*, son œuvre critique la plus forte.

1860   est l'année des *Paradis artificiels*, le seul ouvrage, avec *Les Fleurs du Mal*, qui ait été achevé et publié par l'auteur. Le livre, composite, est pour l'essentiel une véritable biographie parallèle de Baudelaire, celle de toute la part de sa vie qui s'est déroulée dans le monde privilégié — paradisiaque et infernal — où, grâce à l'alcool, à l'éther ou à l'opium, il échappait aux tortures physiques et morales, avant d'y retomber plus lourdement.

C'est aussi celle de la dernière tentative pour organiser une existence tolérable : il loue à Neuilly un petit appartement qu'il meuble de ses « débris », que Jeanne Duval occupera, et où il viendra lorsqu'il ne sera pas à Honfleur. Mais il ne fera plus chez sa mère que de brèves apparitions, et il lui faudra fuir Neuilly, chassé par la conduite « monstrueuse » de Jeanne.

1861   (février). La seconde édition des *Fleurs du Mal*, que Baudelaire et Poulet-Malassis préparaient depuis la condamnation de 1857, sort enfin. Elle tombe dans le vide. Les critiques sont réservés ou sans virulence. Le premier article important, celui de Leconte de Lisle, paraîtra en décembre. Des 1 500 exemplaires tirés, une bonne partie sera soldée deux ans plus tard.

Cet échec d'une œuvre dont il était « presque content » contribue à l'assombrir. Il se débat dans des difficultés financières inextricables. Sa santé est de plus en plus mauvaise : douleurs articulaires, insomnies, terreurs nerveuses ne lui laissent guère de repos. Et il revient sur sa vie manquée : « Quarante ans, un conseil judiciaire, des dettes énormes, et enfin, pire que tout, la volonté perdue, gâtée. Qui sait si l'esprit lui-même n'est pas altéré ? » (Lettre de février (?) 1861.)

Il songe parfois au suicide. Il tente aussi de revenir à la religion fervente de son enfance : « Je désire de tout mon cœur (avec quelle sincérité, personne ne peut le savoir que moi) croire qu'un être extérieur et invisible s'intéresse à ma destinée; mais comment faire pour le croire ? » (Lettre du 6 mai 1861.)

1862   Une longue agonie commence. La folie qu'il a si souvent tentée rôde autour de lui : « J'ai cultivé mon hystérie avec jouissance et terreur. Maintenant, j'ai toujours le vertige, et, aujourd'hui, 23 janvier 1862, j'ai subi un singulier avertissement, j'ai senti passer sur moi le vent de l'aile de l'imbécillité. » *(Mon Cœur mis à nu.)* Les deux revues auxquelles il collaborait disparaissent. Poulet-Malassis va être mis en faillite, et les billets que Baudelaire lui a signés seront en circulation. Besogneux, désabusé, il ne cultive plus que des rêves inconsistants : on va l'élire à l'Académie, on va le nommer Commissaire à l'Exposition de Londres, Directeur de l'Odéon...

Août. Avec l'aide de son nouvel éditeur, Hetzel, il obtient, non sans peine, que *La Presse* publie ses *Petits Poèmes en prose.* Elle en donne vingt, puis s'arrête : Baudelaire lui a vendu comme inédits les six poèmes déjà publiés en 1857 (ce qui est assez dans ses habitudes). D'autres revues refuseront des textes qui effaroucheraient les lecteurs, ou demanderont des corrections, ou même les pratiqueront de leur propre autorité.

1863   L'impuissance intellectuelle dont il souffrait, d'intermittente devient presque continuelle. Le seul travail auquel il se livre encore avec quelque régularité est celui des traductions d'Edgar Poe. *Eurêka* paraîtra en novembre, et n'aura aucun succès. Le cinquième et dernier volume, les *Histoires grotesques et sérieuses*, sera publié en mars 1865.

13 août. Delacroix meurt. Baudelaire reprend ses études antérieures et compose un admirable hommage : *L'Œuvre et la Vie d'Eugène Delacroix. L'Opinion nationale* ne donne qu'à regret ses articles, trop difficiles pour les lecteurs. Mais le *Figaro*, qui a une dette de reconnaissance à payer à Constantin Guys, prend *Le Peintre de la Vie moderne*, écrit en 1859-1860 et refusé par tous les journaux auxquels l'auteur l'avait proposé.

Rebuté par les rédacteurs en chef, méconnu par les

critiques, il a, dans le public, une célébrité de mauvais aloi. Au café où, seul à son guéridon, fumant la pipe, il passe de longues heures silencieuses, dans les casinos mal famés où sa mine sinistre effraye les danseuses, on regarde avec une curiosité ironique ce bohème excentrique et maniaque qui se croit un grand homme.

Et chaque jour il éprouve, de plus en plus fort, le besoin de crier sa haine. Depuis 1859, il songe à écrire ses « Confessions », auxquelles il a déjà donné un titre : *Mon Cœur mis à nu*. Elles auront les couleurs les plus noires : « Ce livre tant rêvé sera un livre de rancunes […]; je veux faire sentir sans cesse que je me sens étranger au monde et à ses cultes. Je tournerai contre la France entière mon réel talent d'impertinence. J'ai un besoin de vengeance comme un homme fatigué a besoin d'un bain. » (Lettre du 5 juin 1863.)

1864   (février). *Le Figaro* accepte de publier les *Petits Poèmes en prose* sous un nouveau titre : *Le Spleen de Paris*. Il donne six pièces, puis arrête des feuilletons qui « ennuyaient tout le monde ».

24 avril. Baudelaire part pour Bruxelles. Il compte y faire une série de lectures publiques, suivie d'une tournée de conférences en province. Mais il n'est pas connu en Belgique, et du reste il n'est pas orateur. La première soirée a peu de succès; les suivantes n'en ont aucun. On s'en tiendra donc là.

Il veut d'abord en rire. Bientôt il éprouve pour ces gens qui l'ont si mal reçu la haine qu'il réservait jusqu'alors à ses compatriotes. Il décide d'écrire *Pauvre Belgique !* ou *La Belgique déshabillée*, où il leur dira leur fait.

Mais il reste à Bruxelles et il y restera plus de deux ans. Il ne manque pas de prétextes : son livre à faire, un éditeur à trouver, ses créanciers à fuir… En une circonstance où la nécessité le presse plus fort (juillet 1865), il prend le train pour Paris et pour Honfleur. Dix jours après il est de retour dans « son enfer ». Que craint-il ? Qui punit-il, sinon lui-même ?

1866   A Paris cependant les jeunes gens le saluent comme leur maître. Mallarmé, Verlaine reconnaissent en lui le premier poète moderne. *Le Parnasse contemporain* donne les *Nouvelles Fleurs du Mal*. Éternel retour des choses : l'homme vieilli ne comprend pas les débutants : « Il y a du talent chez ces jeunes gens; mais que de folies ! quelles exagérations ! et quelle infatuation de jeunesse ! » Il est maintenant entré dans un « état soporeux » dont il ne sort que pour avoir des nausées, des névralgies, des vertiges. Il prend de la quinine, de la belladone, de l'opium, de l'alcool.

Mars. A Namur, il éprouve un étourdissement et tombe. Le lendemain, des troubles cérébraux apparaissent, il est paralysé du côté droit, la parole est confuse. Bientôt l'aphasie fait des progrès. Mme Aupick consulte un grand aliéniste, le Docteur Lasègue, l'ancien répétiteur de philosophie à qui on avait confié, en 1839, le collégien renvoyé. Il conseille de le ramener à Paris.

Juillet. On l'installe dans une clinique « hydrothérapique » de Chaillot. Quand ses amis viennent le voir, lui jouer du piano, il ne peut que crier à tue-tête son éternel « crénom! » qu'il répète sur tous les tons.

1867 (31 août). La longue agonie se termine enfin. Pour accompagner Baudelaire au cimetière Montparnasse, derrière Me Ancelle, il y a une centaine de fidèles : Banville, Verlaine, Manet, Champfleury..., mais aucun représentant du gouvernement, aucun « grand » auteur, pas même un membre du Comité de la Société des Gens de Lettres.

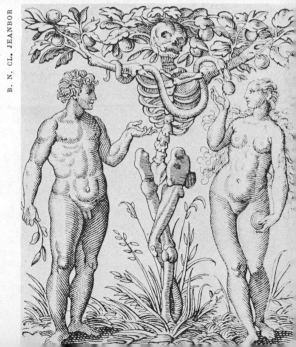

B. N. CL. JEANBOR

Frontispice
souhaité par
Baudelaire
pour l'édition
de 1861

Gravure
de Langlois

L'ŒUVRE

Baudelaire n'a fini lui-même, en dehors des traductions, que deux volumes : celui des *Fleurs du Mal* et celui des *Paradis artificiels*. Le reste, l'inédit, les brochures, les articles de journaux ou de revues, a été regroupé dans les éditions posthumes d'une façon qui correspond en gros à ce que l'auteur avait souhaité ou projeté. Nous avons ainsi :

1. **Une nouvelle :**
    La Fanfarlo (1847).

2. **Deux volumes de poésies :**
    Les Fleurs du Mal (1857-1861-1868).
    Les Petits Poèmes en prose (1869),
       (l'ébauche du *Spleen de Paris*).

3. **Trois études :**
    Les Paradis artificiels (1860-1869).
    Curiosités esthétiques (1869).
    L'Art romantique (1869).

4. **Des traductions :**
    Rev. Croly : *Le Jeune Enchanteur* (1846).
    Edgar Poe : *Histoires extraordinaires* (1856).
            Nouvelles Histoires extraordinaires (1857).
            Aventures d'Arthur Gordon Pym (1858).
            Eurêka (1863).
            Histoires grotesques et sérieuses (1865).

5. **Des documents :**
    Correspondance.
    Œuvres posthumes et œuvres diverses :
       Poésies qui n'ont pas trouvé place dans *Les Fleurs du Mal*,
       Œuvres de jeunesse ou œuvres « restituées ».
       Articles et variétés.

    Projets :
       Nouvelles, romans et pièces de théâtre,
       Pauvre Belgique,
       Journaux Intimes (sous les titres de *Mon Cœur mis à nu*,
       Suggestions, Fusées...).

LES FLEURS DU MAL

Genèse   A la différence des grands auteurs romantiques, Baudelaire ne datait pas ses vers, et sa correspondance, avant 1857, ne parle guère de poésie. Il est donc difficile de suivre le travail d'élaboration des *Fleurs du Mal*.

A en croire ses amis, dès 1844 elles étaient presque achevées et, en 1845, il avait un volume tout prêt pour l'imprimerie. Ce n'est pas impossible : en 1843, il s'était associé à quelques camarades pour faire paraître un recueil collectif (mais avait retiré sa collaboration); et en 1845, on annonçait un volume de vers de M. Baudelaire-Dufays : *Les Lesbiennes*. Cette annonce était répétée en 1846 et en 1847. En 1848, nouvelle annonce et nouveau titre : *Les Limbes*. A cette date, Baudelaire n'avait donné à des revues que cinq poèmes, mais, en 1849, il faisait calligraphier deux gros in-quarto qui, selon Asselineau, auraient servi à l'édition de 1857.

En 1850 et en 1851, il reprenait ses tentatives avec plus de détermination — et un peu d'ironie : « il faut qu'avant le jour de l'an j'aie [...] publié mes vers », écrivait-il à sa mère en 1851. « Je finirai par apprendre cette phrase par cœur! » Il trouvait à placer quelques poèmes, annonçait comme très prochaine la sortie des *Limbes* et envoyait deux « paquets », l'un de onze pièces au *Messager de l'Assemblée*, qui le publia en avril 1851, l'autre de douze à la *Revue de Paris*.

Il n'est donc pas interdit de penser que *Les Fleurs du Mal* étaient prêtes en 1851, et même en 1849, et que le recueil le plus célèbre du XIXe siècle a été l'œuvre d'un poète de moins de trente ans qui ne devait par la suite que corriger, disposer, compléter son livre.

Il semble pourtant qu'il ait alors abandonné la partie. Les éditeurs refusèrent-ils de courir l'aventure ? Les traductions d'Edgar Poe l'absorbaient-elles ? Ou bien était-ce la conséquence de son indécision habituelle, de la crainte d'être mal accueilli, du sentiment de n'être pas prêt (ce qui obligerait à reconsidérer l'hypothèse d'un achèvement antérieur à 1852) ? Le 1er juin 1855, *La Revue des Deux-Mondes*, sous le titre de *Fleurs du Mal*, donnait dix-huit pièces qui ne firent que confirmer amis et ennemis de l'auteur dans leurs positions, mais n'intéressèrent ni le public ni, finalement, les éditeurs.

L'édition de 1857   Après de nouveaux pourparlers avec Michel Lévy, Baudelaire traitait avec son ami Poulet-Malassis, à qui il envoyait son texte le 4 février 1857. Pour l'établir, il avait dû choisir et mettre en ordre. Plus du tiers des poèmes manuscrits auraient été écartés, en deux fois. Mais la mise en ordre des pièces retenues n'aurait demandé qu'une journée. Était-ce le dernier état d'un classement préparé de longue date, ou l'auteur y attachait-il moins d'importance qu'il ne l'a dit ensuite ? L'impression fut laborieuse, du fait de la négligence de l'éditeur et des scrupules de l'auteur. Le volume ne fut mis en vente que le 25 juin. Le 5 juillet, un article du *Figaro* dénonçait le scandale.

Le procès   Le gouvernement impérial, alors aussi soucieux de l'ordre moral que de l'ordre politique, renvoyait l'affaire au Procureur Général qui estimait que neuf poèmes étaient obscènes et que quatre autres montraient des tendances religieuses et sociales suspectes. Baudelaire s'attendait au procès, mais il espérait qu'on y renoncerait au dernier moment ou qu'on l'acquitterait, comme Flaubert six mois plus tôt. Il se jeta avec ardeur dans une bataille confuse. Au gouvernement, le Ministre d'État, porté à l'indulgence, se heurtait au Garde des Sceaux et au Ministre de l'Intérieur appuyés par la plupart de leurs collègues. Dans la presse, quelques critiques l'auraient volontiers défendu : Thierry, le premier, parlait de chef-d'œuvre (*Moniteur* du 14 juillet); mais *Le Pays* refusa l'article de Barbey d'Aurevilly et *La Revue française* celui d'Asselineau. Sainte-Beuve, qui avait publiquement pris parti pour *Madame Bovary*, était cette fois plus discret. Enfin le coupable n'avait ni la réputation d'honorabilité bourgeoise, ni les protections dans la famille impériale qui avaient été si utiles à Flaubert.

Le 20 août, le Tribunal correctionnel, ne retenant que le délit d'offense à la morale publique et aux bonnes mœurs, infligeait des amendes aux prévenus : cent francs aux éditeurs, à Baudelaire trois cents francs qui allaient être réduits à cinquante, « le condamné témoignant du repentir ». Six pièces devaient être retirées du recueil [1].

La condamnation eut les effets qu'on en pouvait attendre : on s'arracha les exemplaires complets, journaux et revues donnèrent quelques commentaires, et, de Hauteville-House, Victor Hugo cria « bravo » à la victime du

---

1. Dès 1882 le jugement sera oublié et le Parquet laissera publier les pièces condamnées. Il sera cassé en 1949.

régime. Baudelaire, surpris et furieux, et qui devait toujours garder le sentiment qu'on l'avait « flétri » injustement, écoutait ce qu'on disait et jouait avec un certain plaisir le rôle de condamné (voir p. 16, 1857).

L'édition de 1861   A la fin de 1857, il était retombé dans la torpeur qui le tenait de plus en plus souvent. La perspective d'avoir à remplacer les six pièces, à recommencer tout le travail d'imprimerie, l'accablait. Ce n'est qu'en novembre 1858 qu'il se remettait à la tâche. En 1859, à Honfleur, il écrivait quelques-uns de ses plus beaux vers. Le 1er janvier 1860, il signait un traité avec Poulet-Malassis, mais ne lui remettait son manuscrit qu'en octobre : il avait dû corriger les anciens poèmes, mettre au point les nouveaux, songer à une Préface (qu'il ne termina pas), à des illustrations (qui ne furent pas faites), etc... Quand la seconde édition sortit, en février 1861, elle consolida la situation littéraire de l'auteur, mais n'atteignit pas le public.

On la considère actuellement comme l'édition définitive. Celle de 1857 contenait cent poèmes (plus l'Avertissement au lecteur). Sauf les six poèmes condamnés, ils ont été gardés, mais souvent amendés, et complétés par trente-deux pièces nouvelles (dont quelques-unes proviennent sans doute du manuscrit de 1849). Leur disposition a été modifiée et semble obéir à un dessein plus précis.

L'édition de 1868   La faillite de Poulet-Malassis entraî-nait, en février 1863, le solde des exemplaires invendus des *Fleurs du Mal*. Baudelaire formait alors le projet d'en publier une nouvelle version augmentée. Mais les pourparlers qu'il mena auprès de divers éditeurs pour placer ses œuvres complètes ne purent aboutir. A sa mort, on mettait aux enchères son héritage littéraire. Il fut adjugé mille sept cent cinquante francs à Michel Lévy qui chargea Banville et Asselineau d'établir le texte de l'édition posthume en sept volumes. Celui des *Fleurs du Mal* sortit en décembre 1868.

Il avait été voulu et préparé par l'auteur qui avait corrigé et complété l'exemplaire de l'édition de 1861 dont Asselineau s'est servi. Mais rien ne nous assure que les corrections aient été définitives, que les vingt-cinq pièces ajoutées aient été toutes destinées aux *Fleurs du Mal*, et surtout qu'elles y auraient occupé la place que les éditeurs leur ont attribuée. Nous ne pouvons donc ni négliger ni accepter en bloc ce que ce texte apporte.

Du réalisme au surnaturalisme   Quand cette bohême tourne en dérision le « bon sens » qui fait le succès d'Augier, elle ne prend pas garde que quelques-uns des siens (Champfleury, Duranty...) ont pris la même route, sur le bas-côté il est vrai. Pour ces « réalistes », la réalité est ce qu'on voit comme tout le monde, avec l'âme de tout le monde. Auprès d'eux, il y a Courbet, qui peint mieux qu'il ne s'explique. Baudelaire, qui se méfie de l'idéalisation, n'oubliera jamais tout à fait qu'il a été leur ami.

Le courant le plus fort va dans l'autre sens. Il a pris sa source chez les saint-simoniens, s'est élargi dans le positivisme et dans le socialisme scientifique : c'est celui de l'antiphysis, qui porte l'homme à substituer un ordre humain aux mécanismes aveugles de la nature. Baudelaire refuse la chaleur vivante, le végétal, lui préférant le froid du minéral et la géométrie urbaine ; il a horreur des impulsions physiques, dû laisser-aller quotidien ou littéraire et choisit sa création comme sa pose.

Mais le maître dont il se réclame, celui qui, avec Poe, lui a « appris à raisonner », c'est Joseph de Maistre. Si les philosophies socialistes paraissent commandées par le rêve d'une société idéale offerte à l'effort des hommes, celle-ci naît dans une réalité où tout est mal, et qui ferme les perspectives du progrès. Car le mal est le châtiment que la Providence inflige à une nature coupable que la souffrance doit purifier. Le livre, image du monde, sera donc une image du mal : parmi les auteurs préférés de Baudelaire, il y a Rétif, Laclos, Sade ; dans sa vie, le déréglement et les stupéfiants. Mais l'art jettera un pont entre le mal et la beauté : la fonction du poète sera de déchiffrer le « dictionnaire hiéroglyphique » de l'univers, et la poésie « ce qui n'est complètement vrai que dans un autre monde ».

Questions de structure   Dans une lettre écrite après la seconde édition (1861), Baudelaire attirait l'attention de Vigny sur l'ordonnance des *Fleurs du Mal :* « Le seul éloge que je sollicite pour ce livre est qu'on reconnaisse qu'il n'est pas un pur album et qu'il a un commencement et une fin. Tous les poèmes nouveaux ont été faits pour être adaptés à un cadre singulier que j'avais choisi. »

On s'est depuis efforcé de reconstituer ses intentions et de faire apparaître une œuvre volontairement et savamment composée. C'est aller trop loin : l'harmonie du livre résulte d'un travail *a posteriori* de combinaison et de

placement, et non pas d'une « architecture », même
« secrète ». Elle tient essentiellement à son caractère psychologique, et au retour de thèmes et d'images qui en est
la conséquence : car Baudelaire est de ces « tempéraments
vigoureux qui, comme il le dit dans une lettre du 18 février
1860, impriment aux ouvrages de l'esprit, composés au
hasard des circonstances, une unité fatale et involontaire ».
Mais elle tient aussi à la structure interne des groupes de
poèmes et à leur disposition dans un ordre qui fait faire
au lecteur, selon le mot de Thibaudet, « un voyage de la
vie à la mort ». Encore faut-il observer qu'il ne s'agit pas
d'un ordre narratif et qu'il n'y a naturellement pas de
transitions ou de rappels artificiels. En outre, s'il y a eu
rapprochement, il y a eu aussi variation (et on pourrait
ainsi rétablir un cycle des parfums, un cycle des chats,
etc...). Enfin, les rapports plastiques et musicaux ont été
certainement étudiés avec autant de soin que les rapports
logiques.

Ces réserves faites, et en attendant de constater l'inter-
pénétration des recherches de structure et des interpré-
tations métaphysiques, on peut proposer un schéma
superficiel de l'œuvre (dans son état de 1861).

AU LECTEUR

La sottise, l'erreur, le péché, la lésine,
Occupent nos esprits et travaillent nos corps,
Et nous alimentons nos aimables remords,
Comme les mendiants nourrissent leur vermine.

[5] Nos péchés sont têtus, nos repentirs sont lâches ;
Nous nous faisons payer grassement nos aveux,
Et nous rentrons gaiement dans le chemin bourbeux,
Croyant par de vils pleurs laver toutes nos taches.

Sur l'oreiller du mal c'est Satan Trismégiste [1]
[10] Qui berce longuement notre esprit enchanté,
Et le riche métal de notre volonté
Est tout vaporisé [2] par ce savant chimiste

C'est le Diable qui tient les fils qui nous remuent !
Aux objets répugnants nous trouvons des appas [3] ;
[15] Chaque jour vers l'Enfer nous descendons d'un pas,
Sans horreur, à travers des ténèbres qui puent. [...]

Serré, fourmillant, comme un million d'helminthes [4],
Dans nos cerveaux ribote un peuple de Démons,
Et, quand nous respirons, la Mort dans nos poumons
Descend, fleuve invisible, avec de sourdes plaintes.

[25] Si le viol, le poison, le poignard, l'incendie,
N'ont pas encor brodé de leurs plaisants dessins
Le canevas banal de nos piteux destins,
C'est que notre âme, hélas ! n'est pas assez hardie.

Mais parmi les chacals, les panthères, les lices [5],
[30] Les singes, les scorpions, les vautours, les serpents,
Les monstres glapissants, hurlants, grognants, rampants,
Dans la ménagerie infâme de nos vices,

---

1. Le plus grand de tous, surnom d'Hermès-Thôt, initiateur présumé des doc-
trines « hermétiques », et notamment de l'alchimie. — 2. Changé en vapeur. —
3. Attraits. L'orthographe classique ne distingue pas au pluriel « appâts » de « appas ».
— 4. Vers intestinaux. — 5. Au sens étymologique de louves (sens actuel : chiennes).

Il en est un plus laid, plus méchant, plus immonde!
Quoiqu'il ne pousse [1] ni grands gestes ni grands cris,
35 Il ferait volontiers de la terre un débris
Et dans un bâillement avalerait le monde;

C'est l'Ennui! — l'œil chargé d'un pleur involontaire,
Il rêve d'échafauds en fumant son houka [2].
Tu le connais, lecteur, ce monstre délicat,
40 — Hypocrite lecteur, — mon semblable, — mon frère!

● *Poème paru en 1855, dans* La Revue des Deux-Mondes, *en tête des* Fleurs du Mal, *et gardé à cette place par toutes les éditions. Celle de 1868 lui donne le titre de* Préface.

L'auteur et son lecteur y apparaissent ensemble, en proie au mal. Pour bien entendre cette présentation du sujet, où « le déroulement des strophes et des images rend difficile à suivre la suite logique et subtile de la pensée » (J. Prévost), on pourra :

① laisser se former les images successives, porté par le rythme et par un vocabulaire dont le réalisme classique est plein de force suggestive. La première strophe fera voir l'homme comme une contrée occupée et travaillée (tourmentée) par ses ennemis, puis comme un mendiant couvert de vermine. Qu'y aura-t-il ensuite? Dans quel ordre?

② revenir du symbole à l'idée morale, et se demander
— quels sont les ennemis de l'homme et pourquoi les premiers sont les défaillances de l'esprit;
— comment on passe du péché à l'aboulie et au goût impuissant du mal;
— ce que Baudelaire appelle plaisir et pourquoi il ne le sépare pas du péché;
— pourquoi la vertu est expliquée par la médiocrité;
— quelle nature et quel rôle a ce remords délectable;
— comment s'associent les deux grands thèmes lyriques de la passion et de la Mort;
— comment les problèmes du poète résument ceux du monde.

Satan est le maître d'un royaume où les péchés se métamorphosent en diables.

A certains égards, Baudelaire retrouve ici le ton et l'esprit des homélies violentes du XVe siècle, donc une tradition et une langue chrétiennes. Mais on reconnaît aussi son expérience des paradis artificiels qui lui présente le mal comme une prostration de l'énergie ou sous la forme de monstres fantomatiques, son goût de la magie démoniaque, et le sentiment, qu'il a souvent exprimé, de la nécessité de recourir aux forces mauvaises pour expliquer certains de nos actes.

---

1. Sens classique : produise avec force. — 2. Ou narguilé : pipe orientale dont la fumée est aspirée à travers une eau parfumée.

Baudelaire vers 1857
(par lui-même)

SPLEEN ET IDÉAL

1. DÉNÉDICTION

Lorsque, par un décret des puissances suprêmes,
Le Poëte [1] apparaît en ce monde ennuyé,
Sa mère épouvantée et pleine de blasphèmes
Crispe ses poings vers Dieu, qui la prend en pitié :

5   — « Ah! que n'ai-je mis bas tout un nœud de vipères,
Plutôt que de nourrir cette dérision !
Maudite soit la nuit aux plaisirs éphémères
Où mon ventre a conçu mon expiation !

Puisque tu m'as choisie entre toutes les femmes
10 Pour être le dégoût de mon triste mari,
Et que je ne puis pas rejeter dans les flammes,
Comme un billet d'amour, ce monstre rabougri,

Je ferai rejaillir ta haine qui m'accable
Sur l'instrument maudit de tes méchancetés,
15 Et je tordrai si bien cet arbre misérable,
Qu'il ne pourra pousser ses boutons empestés!

Elle ravale ainsi l'écume de sa haine,
Et, ne comprenant pas les desseins éternels,
Elle-même prépare au fond de la Géhenne [2]
20 Les bûchers consacrés aux crimes maternels.

Pourtant, sous la tutelle invisible d'un Ange,
L'Enfant déshérité s'enivre de soleil,
Et dans tout ce qu'il boit et dans tout ce qu'il mange
Retrouve l'ambroisie et le nectar vermeil. [3]

25 Il joue avec le vent, cause avec le nuage,
Et s'enivre en chantant du chemin de la croix;

---

1. Baudelaire tenait à cette graphie archaïsante. Il écrivait à Poulet-Malassis :
« poète me paraît faire un seul pied, poëte fait deux pieds ». — 2. En hébreu : « la
vallée maudite », dont le nom est devenu synonyme d'enfer. — 3. Nourriture et
boisson des dieux.

Et l'Esprit qui le suit dans son pèlerinage
Pleure de le voir gai comme un oiseau des bois.

Tous ceux qu'il veut aimer l'observent avec crainte,
30 Ou bien, s'enhardissant de sa tranquillité,
Cherchent à qui saura lui tirer une plainte,
Et font sur lui l'essai de leur férocité.

Dans le pain et le vin destinés à sa bouche
Ils mêlent de la cendre avec d'impurs crachats;
35 Avec hypocrisie ils jettent ce qu'il touche,
Et s'accusent d'avoir mis leurs pieds dans ses pas.

Sa femme va criant sur les places publiques :
« Puisqu'il me trouve assez belle pour m'adorer,
Je ferai le métier des idoles antiques,
40 Et comme elles je veux me faire redorer;

Et je me soûlerai de nard [1], d'encens, de myrrhe [2],
De génuflexions, de viandes [3] et de vins,
Pour savoir si je puis dans un cœur qui m'admire
Usurper en riant les hommages divins!

45 Et, quand je m'ennuierai de ces farces impies,
Je poserai sur lui ma frêle et forte main;
Et mes ongles, pareils aux ongles des harpies [4],
Sauront jusqu'à son cœur se frayer un chemin.

Comme un tout jeune oiseau qui tremble et qui palpite,
50 J'arracherai ce cœur tout rouge de son sein,
Et, pour rassasier ma bête favorite,
Je le lui jetterai par terre avec dédain! »

Vers le Ciel, où son œil voit un trône splendide,
Le Poëte serein lève ses bras pieux,
55 Et les vastes éclairs de son esprit lucide
Lui dérobent l'aspect des peuples furieux :

---

1. Un des parfums les plus recherchés dans l'antiquité. — 2. Résine aromatique. —
3. Nourritures. — 4. Monstres à visage de femme et à corps de vautour.

— « Soyez béni, mon Dieu, qui donnes la souffrance
Comme un divin remède à nos impuretés
Et comme la meilleure et la plus pure essence [1]
60 Qui prépare les forts aux saintes voluptés !

Je sais que vous gardez une place au Poëte
Dans les rangs bienheureux des saintes Légions,
Et que vous l'invitez à l'éternelle fête
Des Trônes, des Vertus, des Dominations [2].

65 Je sais que la douleur est la noblesse unique
Où ne mordront jamais la terre et les enfers,
Et qu'il faut pour tresser ma couronne mystique
Imposer tous les temps et tous les univers.

Mais les bijoux perdus de l'antique Palmyre [3],
70 Les métaux inconnus, les perles de la mer,
Par votre main montés, ne pourraient pas suffire
A ce beau diadème éblouissant et clair ;

Car il ne sera fait que de pure lumière,
Puisée au foyer saint des rayons primitifs [4],
75 Et dont les yeux mortels, dans leur splendeur entière,
Ne sont que des miroirs obscurcis et plaintifs ! »

● **Spleen et Idéal**, la première partie du livre, en est aussi la plus
importante : 77 pièces sur 100 en 1857, 85 sur 126 en 1861.
On la subdivise habituellement en cycles dont le premier, celui de
l'Art (1-21), peut être centré sur la condition de l'artiste.

1. Bénédiction *(1857)* reprend le problème du mal dans le cas exemplaire du poète, victime et dieu.

① Le titre doit être entendu au sens propre : Baudelaire, fidèle
aux principes maistriens (voir p. 30) du sacrifice et de la réversi-
bilité, fait de la souffrance la marque de la faveur divine.

② Chaque bénédiction aboutit à un tableau (vers 25-28, 49-52,
69-76). Étudier les volets séparément, puis les réunir en un triptyque dont on interprètera les symboles.

③ Les « puissances suprêmes » sont constamment évoquées, mais
avec des visages différents. Lesquels ? Que penser de la comparaison du poète et du Christ ? Comment entendre les vers 69-72 ?

---

1. La partie la plus riche d'un aliment. — 2. Les théologiens divisaient les anges
en trois corps, comptant chacun trois groupes : les plus importants étaient les Séraphins, les Chérubins, les Trônes, puis venaient les Dominations, les Vertus, etc... —
3. Ville de Syrie, bâtie par Salomon. — 4. Thème platonicien : la beauté terrestre
n'est que le reflet de la beauté éternelle.

2. L'ALBATROS

Souvent, pour s'amuser, les hommes d'équipage
Prennent des albatros [1], vastes oiseaux des mers,
Qui suivent, indolents compagnons de voyage,
Le navire glissant sur les gouffres amers.

5 A peine les ont-ils déposés sur les planches,
Que ces rois de l'azur, maladroits et honteux,
Laissent piteusement leurs grandes ailes blanches
Comme des avirons traîner à côté d'eux.

Ce voyageur ailé, comme il est gauche et veule!
10 Lui, naguère si beau, qu'il est comique et laid!
L'un agace son bec avec un brûle-gueule,
L'autre mime, en boitant, l'infirme qui volait!

Le Poëte est semblable au prince des nuées
Qui hante la tempête et se rit de l'archer;
15 Exilé sur le sol au milieu des huées,
Ses ailes [2] de géant l'empêchent de marcher.

← 3. ÉLÉVATION

Au-dessus des étangs, au-dessus des vallées,
Des montagnes, des bois, des nuages, des mers,
Par delà le soleil, par delà les éthers [3],
Par delà les confins des sphères [4] étoilées,

5 Mon esprit, tu te meus avec agilité,
Et, comme un bon nageur qui se pâme dans l'onde,
Tu sillonnes gaiement l'immensité profonde
Avec une indicible et mâle volupté.

---

1. « Un des plus gros et des plus rapides des oiseaux des mers du sud » (E. Poe :
Aventures d'Arthur Gordon Pym, dont la traduction a été publiée par Baudelaire en
1858). — 2. Anacoluthe (rupture de construction) classique. — 3. Dans la physique
des Anciens, c'est la partie supérieure de l'atmosphère, formée d'un air raréfié et
enflammé (voir le vers 12). — 4. Les vingt-six (ou trente-trois) régions entre lesquelles
les Grecs partageaient l'espace céleste.

Envole-toi bien loin de ces miasmes morbides;
10 Va te purifier dans l'air supérieur,
Et bois, comme une pure et divine liqueur,
Le feu clair qui remplit les espaces limpides.

Derrière les ennuis et les vastes chagrins
Qui chargent de leur poids l'existence brumeuse,
15 Heureux celui qui peut d'une aile vigoureuse
S'élancer vers les champs lumineux et sereins;

Celui dont les pensers, comme des alouettes,
Vers les cieux le matin prennent un libre essor,
— Qui plane sur la vie, et comprend sans effort
20 Le langage des fleurs et des choses muettes!

2. **L'Albatros,** *paru en 1859, peut avoir été écrit à Honfleur en même temps que* Le Voyage *(126). La troisième strophe a été ajoutée à la demande d'Asselineau, pour « faire tableau » et donner plus de force au finale.* C'est une œuvre symbolique de forme simple :
① une description d'abord, dont on montrera comment les détails ont été choisis (uniquement pour leur valeur pittoresque?) et utilisés (quel est le rôle des périphrases?);
② une comparaison, dont on notera comment elle est amenée, précisée et utilisée (et on étudiera particulièrement le dernier vers).

3. **Élévation** *(1857)*, d'un symbolisme plus savant et plus riche, met un art original de l'harmonie et du mouvement au service d'un thème traditionnel : l'opposition entre le réel et l'idéal.
① La poésie de Baudelaire a besoin d'échapper à la vie (v. 13-14) qui est un cloaque (v. 9), et dont elle doit noyer les contours (v. 1-2). Mais elle connaît son univers, le monde idéal conçu par les Grecs (v. 4, 10-12) et rejoint par le mysticisme chrétien (titre). Par cette lucidité comme par le dégoût essentiel de ce qui est, elle se distingue de celle des Romantiques.
② Le poète éprouve la sensation physique (v. 6, 11-12) du bonheur qu'il attend. Mais c'est bien la joie de l'esprit (v. 17) qu'il appelle, pure et sereine (v. 11-12, 16), génératrice de la poésie (v. 19-20), « faite de volupté et de connaissance ».
③ Le poème dit d'abord le vol (str. 1-2), puis l'envol (str. 3) et le désir (str. 4-5). Ce n'est pas la volonté de vivre sur les cimes qu'on peut trouver dans *Les Fleurs du Mal,* mais la peur de l'effort différé et d'autant plus difficile, et le regret des minutes heureuses et fugitives dont le souvenir nourrit une âme.
④ On étudiera les vers 19 et 20 pour leur qualité propre et pour leur signification. On verra l'image que l'auteur donne de l'élévation (v. 19), et comment il passe de la symbolique banale à la théorie des correspondances (v. 20), à la définition d'une poésie qui est une pénétration dans la nature vraie des choses.

4. CORRESPONDANCES

La Nature est un temple où de vivants piliers
Laissent parfois sortir de confuses paroles;
L'homme y passe à travers des forêts de symboles
Qui l'observent avec des regards familiers.

5 Comme de longs échos qui de loin se confondent
Dans une ténébreuse et profonde unité,
Vaste comme la nuit et comme la clarté,
Les parfums, les couleurs et les sons se répondent.

Il est des parfums frais comme des chairs d'enfants,
10 Doux comme les hautbois, verts comme les prairies,
— Et d'autres, corrompus, riches et triomphants,

Ayant l'expansion des choses infinies,
Comme l'ambre, le musc, le benjoin et l'encens,
Qui chantent les transports de l'esprit et des sens.

5

J'aime le souvenir de ces époques nues,
Dont Phœbus [1] se plaisait à dorer les statues.
Alors l'homme et la femme en leur agilité
Jouissaient sans mensonge et sans anxiété,
5 Et, le ciel amoureux leur caressant l'échine,
Exerçaient la santé de leur noble machine.
Cybèle [2] alors, fertile en produits généreux,
Ne trouvait point ses fils un poids trop onéreux,
Mais, louve au cœur gonflé de tendresses communes,
10 Abreuvait l'univers à ses tétines brunes.
L'homme, élégant, robuste et fort, avait le droit
D'être fier des beautés qui le nommaient leur roi;
Fruits purs de tout outrage et vierges de gerçures,
Dont la chair lisse et ferme appelait les morsures!

---

1. Le dieu solaire, symbole de l'harmonie physique et morale. — 2. La déesse-
mère, comparée (vers 9) à la louve qui nourrit Romulus et Rémus. Elle est surtout
une divinité chthonienne. C'est à elle que les hommes doivent les récoltes, et elle
donne à chacun son lot.

¹⁵ Le Poëte aujourd'hui, quand il veut concevoir
Ces natives grandeurs, aux lieux où se font voir
La nudité de l'homme et celle de la femme,
Sent un froid ténébreux envelopper son âme
Devant ce noir tableau plein d'épouvantement.
²⁰ O monstruosités pleurant leur vêtement!
O ridicules troncs! torses dignes des masques!
O pauvres corps tordus, maigres, ventrus ou flasques,
Que le dieu de l'Utile, implacable et serein,
Enfants, emmaillota dans ses langes d'airain!
²⁵ Et vous, femmes, hélas! pâles comme des cierges,
Que ronge et que nourrit la débauche, et vous, vierges,
Du vice maternel traînant l'hérédité
Et toutes les hideurs de la fécondité!

Nous avons, il est vrai, nations corrompues,
³⁰ Aux peuples anciens des beautés inconnues :
Des visages rongés par les chancres du cœur,
Et comme qui dirait des beautés de langueur;
Mais ces inventions de nos muses tardives
N'empêcheront jamais les races maladives
³⁵ De rendre à la jeunesse un hommage profond,
— A la sainte jeunesse, à l'air simple, au doux front,
A l'œil limpide et clair ainsi qu'une eau courante,
Et qui va répandant sur tout, insouciante
Comme l'azur du ciel, les oiseaux et les fleurs,
⁴⁰ Ses parfums, ses chansons et ses douces chaleurs!

---

4. Correspondances *(1857)*, d'un ton comparable à celui d'*Éléva-tion*, est « un catéchisme de haute esthétique ». Les règles n'en ont pas été inventées par Baudelaire, mais il y est si souvent revenu, il leur a donné tant de force, qu'on peut bien les dire baudelairiennes. On y verra :
① les rapports entre la métaphysique et l'art : le poète croit à une relation platonicienne du Ciel à la Terre, et à la possibilité de passer d'un registre sensoriel à l'autre par l'intermédiaire de l'Unité. (Voir J. Pommier : *La Mystique de Baudelaire.*)
② la source des mythes : celui qui reçoit des émotions semblables de sources différentes affirme qu'elles correspondent entre elles (alors qu'elles se correspondent en lui), qu'il obtient du dehors sa poésie, qu'il est un voyant.
③ un système d'expression, intelligible et mystérieux.
5. *paru en 1857*, est écrit dans le style de l'école néo-païenne.
① L'esprit et le tour paraissent-ils baudelairiens?

6. LES PHARES

Rubens [1], fleuve d'oubli, jardin de la paresse,
Oreiller de chair fraîche où l'on ne peut aimer,
Mais où la vie afflue et s'agite sans cesse,
Comme l'air dans le ciel et la mer dans la mer [2];

5 Léonard de Vinci [3], miroir profond et sombre,
Où des anges charmants, avec un doux souris [4]
Tout chargé de mystère, apparaissent à l'ombre
Des glaciers et des pins qui ferment leur pays;

Rembrandt [5], triste hôpital tout rempli de murmures,
10 Et d'un grand crucifix décoré seulement,
Où la prière en pleurs s'exhale des ordures,
Et d'un rayon d'hiver traversé brusquement;

Michel-Ange [6], lieu vague où l'on voit des Hercules
Se mêler à des Christs, et se lever tout droits
15 Des fantômes puissants qui dans les crépuscules
Déchirent leur suaire en étirant leurs doigts;

Colères de boxeur, impudences de faune,
Toi qui sus ramasser la beauté des goujats,
Grand cœur gonflé d'orgueil, homme débile et jaune,
20 Puget [7], mélancolique empereur des forçats;

Watteau [8], ce carnaval où bien des cœurs illustres,
Comme des papillons, errent en flamboyant,
Décors frais et légers éclairés par des lustres
Qui versent la folie à ce bal tournoyant;

---

1. Rubens (1577-1640) a donné une vie intense, chatoyante, à des scènes dont les personnages sont bien en chair. Il a peint aussi des paysages et des scènes religieuses. Baudelaire, qui n'a guère vu de lui (et des artistes dont il parle ensuite) que les œuvres exposées à Paris, pense sans doute au *Débarquement de Marie de Médicis à Marseille*. — 2. *Aimer* et *mer :* rime normande. — 3. Léonard de Vinci (1452-1519), l'auteur de la souriante et mystérieuse *Joconde*, nous a donné des *Vierges aux Rochers* dont l'arrière-plan est constitué par les paysages des Dolomites. — 4. Sourire (forme archaïque). — 5. Rembrandt (1606-1669) est l'auteur de *l'Hôpital*, mais aussi de tableaux moins « tristes » comme *les Pèlerins d'Emmaüs*. — 6. Michel-Ange (1475-1564) a peint les fresques de la Sixtine. — 7. Puget (1622-1694) a vécu, solitaire, à Toulon où se trouvait le bagne. Il a sculpté un *Milon de Crotone*, des *Faunes*, un *Alexandre et Diogène* où figurent des goujats (valets d'armée). — 8. Watteau (1684-1721) a traité volontiers des scènes de la Comédie italienne et des Fêtes galantes.

25 Goya [1], cauchemar plein de choses inconnues,
    De fœtus qu'on fait cuire au milieu des sabbats,
    De vieilles au miroir et d'enfants toutes nues,
    Pour tenter les démons ajustant bien leurs bas;

    Delacroix [2], lac de sang hanté des mauvais anges,
30 Ombragé par un bois de sapins toujours vert,
    Où, sous un ciel chagrin, des fanfares étranges
    Passent, comme un soupir étouffé de Weber [3];

    Ces malédictions, ces blasphèmes, ces plaintes,
    Ces extases, ces cris, ces pleurs, ces *Te Deum*,
35 Sont un écho redit par mille labyrinthes;
    C'est pour les cœurs mortels un divin opium!

    C'est un cri répété par mille sentinelles,
    Un ordre renvoyé par mille porte-voix;
    C'est un phare allumé sur mille citadelles,
40 Un appel de chasseurs perdus dans les grands bois!

    Car c'est vraiment, Seigneur, le meilleur témoignage
    Que nous puissions donner de notre dignité
    Que cet ardent sanglot qui roule d'âge en âge
    Et vient mourir au bord de votre éternité!

---

6. Les Phares *(1857)* termine le premier chapitre par un salut
aux maîtres : des peintres, et un sculpteur admiré par Delacroix.
① Commenter un ou plusieurs des quatrains en montrant comment l'essentiel de chaque œuvre y est suggéré.
② La conclusion (vers 33-44) est un cri de détresse, mais est-ce
un appel à la révolte ou à la prière? Quel est le sens de « divin opium »
(v. 36)? « Dignité » (v. 42) doit-il être entendu en un sens humain
ou religieux?
Baudelaire, très sensible aux influences, et qui préférait livrer à
son imagination une matière déjà élaborée, se reconnaît donc tribu-
taire de l'école plastique *(Dédicace)*, de l'école païenne (5, complété
en 1868 par un sonnet *A Banville*) et de l'atelier de Delacroix (6).
Si différents que soient ces maîtres, ils ont en commun d'être des
individualistes à l'âme ardente et à la tête froide, en qui éthique
et esthétique se rejoignent. Le poète peut aller de l'un à l'autre
sans cesser d'être lui-même.

---

1. Goya (1746-1828) est surtout connu de Baudelaire par la suite gravée des
Caprices. — 2. Delacroix (1798-1863) est peut-être l'homme à qui Baudelaire doit
le plus (voir p. 13). — 3. Weber (1786-1826), le premier musicien romantique alle-
mand.

12. LA VIE ANTÉRIEURE

J'ai longtemps habité sous de vastes portiques
Que les soleils marins teignaient de mille feux,
Et que leurs grands piliers, droits et majestueux,
Rendaient pareils, le soir, aux grottes basaltiques.

5 Les houles, en roulant les images des cieux,
Mêlaient d'une façon solennelle et mystique
Les tout-puissants accords de leur riche musique
Aux couleurs du couchant reflété par mes yeux.

C'est là que j'ai vécu dans les voluptés calmes,
10 Au milieu de l'azur, des vagues, des splendeurs
Et des esclaves nus, tout imprégnés d'odeurs,

Qui me rafraîchissaient le front avec des palmes,
Et dont l'unique soin était d'approfondir
Le secret douloureux qui me faisait languir.

13. BOHÉMIENS EN VOYAGE

La tribu prophétique aux prunelles ardentes
Hier s'est mise en route, emportant ses petits
Sur son dos, ou livrant à leurs fiers appétits
Le trésor toujours prêt des mamelles pendantes.

5 Les hommes vont à pied sous leurs armes luisantes
Le long des chariots où les leurs sont blottis,
Promenant sur le ciel des yeux appesantis
Par le morne regret des chimères absentes.

Du fond de son réduit sablonneux, le grillon,
10 Les regardant passer, redouble sa chanson;
Cybèle, qui les aime, augmente ses verdures,

Fait couler le rocher et fleurir le désert
Devant ces voyageurs, pour lesquels est ouvert
L'empire familier des ténèbres futures.

14. L'HOMME ET LA MER

Homme libre, toujours tu chériras la mer !
La mer est ton miroir; tu contemples ton âme
Dans le déroulement infini de sa lame,
Et ton esprit n'est pas un gouffre moins amer.

5   Tu te plais à plonger au sein de ton image;
Tu l'embrasses des yeux et des bras, et ton cœur
Se distrait quelquefois de sa propre rumeur
Au bruit de cette plainte indomptable et sauvage.

Vous êtes tous les deux ténébreux et discrets :
10 Homme, nul n'a sondé le fond de tes abîmes;
O mer, nul ne connaît tes richesses intimes,
Tant vous êtes jaloux de garder vos secrets !

Et cependant voilà des siècles innombrables
Que vous vous combattez sans pitié ni remord,
15 Tellement vous aimez le carnage et la mort,
O lutteurs éternels, ô frères implacables !

● Durant les appels successifs de l'*Idéal*, puis du *Spleen*, un mouvement interne balance le poète de l'un des pôles vers l'autre.
Devant l'homme accablé s'ouvrent maintenant les portes du rêve,
vers les paradis perdus, vers des pays inconnus et dont il a pourtant
la nostalgie.

12. La Vie antérieure *(1855)* est celle du souvenir et d'un au-delà
du souvenir comme ceux qui enchantaient Gérard de Nerval, le
« pythagoricien moderne » que Baudelaire admirait et aimait.
① Étudier comment le souvenir (voir p. 6, 1842), évoqué par le
parfum (v. 11), et sans doute exalté par l'ivresse des paradis artificiels, s'est dilaté jusqu'à devenir une métempsycose.
② Trois tableaux : une marine classique, une tempête romantique, un paysage exotique à la Gauguin, représentent la vie
intérieure du poète. Les couleurs romantiques ne sont-elles pas
les plus fortes?

13. Bohémiens en Voyage *(1857)* a été écrit avant 1852. Une
gravure de Callot a fait partir l'artiste dans la caravane du rêve,
avec des vagabonds sensibles aux impulsions profondes.

14. L'Homme et la Mer *(1852)* montre l'homme dans un miroir
où il se perd, dans une composition en abîme.
① Comment le choix des images, le jeu de leurs correspondances
(str. 1-3), l'interprétation qui en est donnée (str. 4) renouvellent-ils
un thème banal (la lutte de l'homme contre la mer) ?

20. LE MASQUE

STATUE ALLÉGORIQUE
DANS LE GOÛT DE LA RENAISSANCE

A ERNEST CHRISTOPHE, STATUAIRE

Contemplons ce trésor de grâces florentines;
Dans l'ondulation de ce corps musculeux
L'Élégance et la Force abondent, sœurs divines.
Cette femme, morceau vraiment miraculeux,
5 Divinement robuste, adorablement mince,
Est faite pour trôner sur des lits somptueux,
Et charmer les loisirs d'un pontife ou d'un prince.

— Aussi, vois ce souris [1] fin et voluptueux
Où la Fatuité promène son extase;
10 Ce long regard sournois, langoureux et moqueur;
Ce visage mignard [2], tout encadré de gaze,
Dont chaque trait nous dit avec un air vainqueur :
« La Volupté m'appelle et l'Amour me couronne! »
A cet être doué de tant de majesté
15 Vois quel charme excitant la gentillesse donne!
Approchons, et tournons autour de sa beauté.

O blasphème de l'art! ô surprise fatale!
La femme au corps divin, promettant le bonheur,
Par le haut se termine en monstre bicéphale!

20 Mais non! ce n'est qu'un masque, un décor suborneur,
Ce visage éclairé d'une exquise grimace,
Et, regarde, voici, crispée atrocement,
La véritable tête, et la sincère face
Renversée à l'abri de la face qui ment.
25 Pauvre grande beauté! le magnifique fleuve
De tes pleurs aboutit dans mon cœur soucieux;
Ton mensonge m'enivre, et mon âme s'abreuve
Aux flots que la Douleur fait jaillir de tes yeux!

---

1. Voir p. 32, note 4. — 2. Gracieux et délicat (sens vieilli).

— Mais pourquoi pleure t elle ? Elle, beauté parfaite
30 Qui mettrait à ses pieds le genre humain vaincu,
Quel mal mystérieux ronge son flanc d'athlète ?

— Elle pleure, insensé, parce qu'elle a vécu !
Et parce qu'elle vit ! Mais ce qu'elle déplore
Surtout, ce qui la fait frémir jusqu'aux genoux,
35 C'est que demain, hélas ! il faudra vivre encore !
Demain, après-demain et toujours ! — comme nous !

● Le cycle de l'Art se clôt sur une série esthétique (17-21). Dans
les deux dernières pièces de la série, les plus récentes, Baudelaire
recherche les origines et le sens de ses émotions esthétiques.

20. Le Masque *(publié en 1859)* est une poésie occasionnelle, inspirée
par *La Comédie humaine* de Christophe (1827-1892). Baudelaire,
qui avait le goût moins sûr en sculpture qu'en peinture, aimait cet
artiste audacieux, dont la sensibilité s'apparentait à la sienne.
① L'œuvre, (qu'on peut voir dans le jardin des Tuileries) montre
« *une femme nue, d'une grande et vigoureuse tournure florentine* [...]
*qui, vue en face, présente au spectateur un visage souriant et mignard,
un visage de théâtre* [...] *Mais, en faisant un pas de plus à gauche ou
à droite, vous découvrez le secret de l'allégorie, la morale de la fable, je
veux dire la véritable tête révulsée, se pâmant dans les larmes et
l'agonie. Ce qui avait d'abord enchanté vos yeux, c'était un masque*
[...] » (Salon de 1859.) Quelle en est la signification ?
② Le mouvement pathétique de la statue est repris dans le poème.
Par quels procédés de rhétorique et de métrique ? Avec quels effets ?
③ Mais le sens est singulièrement enrichi : la femme a le visage
trompeur de l'art moderne (v. 8 à 15); l'homme est attiré par le
malheur (v. 22 à 28); la vie est remords ou inquiétude (v. 32 à 36)...

21. Hymne à la Beauté *(publié en 1860)* complète *Le Masque* : le
beau, qui cachait son visage douloureux, montre maintenant son
âme infernale.
① Deux fois (v. 1, v. 9), le poète s'interroge sur l'origine de la
beauté. Mais sa présence (v. 2 à 8, 10 à 20) n'est-elle pas de moins
en moins équivoque, et plus satanique que divine ?
② Deux fois (v. 21, v. 25), il renonce à chercher la réponse. Faut-il
comprendre qu'elle est inaccessible ? ou qu'un même appel nous
porte vers le Ciel et vers l'Enfer ? Qu'est-ce donc que l'Infini ?
③ La beauté a le visage de la femme, et l'art celui de l'amour (v. 23
et 24). Ces ambiguïtés sont-elles nouvelles ? Ont-elles une importance particulière dans *Les Fleurs du Mal* ?
④ Les allégories, les images, laissent deviner la richesse et la complexité des relations qui s'établissent entre l'artiste et sa « reine ».
On s'arrêtera sur quelques-unes (par ex. v. 6, v. 10). On notera
l'importance de l'apport d'un romantisme frénétique (v. 13 à 16).
On se demandera comment et pourquoi elles sont finalement fon-
dues et concentrées (v. 23, v. 27).

21. HYMNE A LA BEAUTÉ

Viens-tu du ciel profond ou sors-tu de l'abîme,
O Beauté ? ton regard, infernal et divin,
Verse confusément le bienfait et le crime,
Et l'on peut pour cela te comparer au vin.

5   Tu contiens dans ton œil le couchant et l'aurore;
Tu répands des parfums comme un soir orageux;
Tes baisers sont un philtre [1] et ta bouche une amphore
Qui font le héros lâche et l'enfant courageux.

Sors-tu du gouffre noir ou descends-tu des astres ?
10 Le Destin [2] charmé suit tes jupons comme un chien;
Tu sèmes au hasard la joie et les désastres,
Et tu gouvernes tout et ne réponds de rien.

Tu marches sur des morts, Beauté, dont tu te moques;
De tes bijoux l'Horreur n'est pas le moins charmant,
15 Et le Meurtre, parmi tes plus chères breloques,
Sur ton ventre orgueilleux danse amoureusement.

L'éphémère ébloui vole vers toi, chandelle,
Crépite, flambe et dit : Bénissons ce flambeau!
L'amoureux pantelant incliné sur sa belle
20 A l'air d'un moribond caressant son tombeau.

Que tu viennes du ciel ou de l'enfer, qu'importe,
O Beauté! monstre énorme, effrayant, ingénu!
Si ton œil, ton souris [3], ton pied, m'ouvrent la porte
D'un Infini que j'aime et n'ai jamais connu [4] ?

25 De Satan ou de Dieu, qu'importe ? Ange ou Sirène,
Qu'importe, si tu rends, — fée aux yeux de velours,
Rythme, parfum, lueur, ô mon unique reine! —
L'univers moins hideux et les instants moins lourds ?

---

1. Breuvage magique destiné à inspirer l'amour. — 2. Le maître des hommes et des dieux. — 3. Voir p. 32, note 4. — 4. Voir p. 111, v. 143 et 144.

22. PARFUM EXOTIQUE

Quand, les deux yeux fermés, en un soir chaud d'automne,
Je respire l'odeur de ton sein chaleureux,
Je vois se dérouler des rivages heureux
Qu'éblouissent les feux d'un soleil monotone;

5 Une île paresseuse où la nature donne
Des arbres singuliers et des fruits savoureux;
Des hommes dont le corps est mince et vigoureux,
Et des femmes dont l'œil par sa franchise étonne.

Guidé par ton odeur vers de charmants climats,
10 Je vois un port rempli de voiles et de mâts
Encor tout fatigués par la vague marine,

Pendant que le parfum des verts tamariniers,
Qui circule dans l'air et m'enfle la narine,
Se mêle dans mon âme au chant des mariniers.

    •   « L'homme a, pour payer sa rançon,
            « Deux champs au tuf profond et riche, [...]
            « L'un est l'Art, et l'autre l'Amour. » (*Les Épaves*, 19.)
Après le cycle de l'Art, et lié à lui par l'*Hymne à la Beauté*, vient
donc le cycle de l'Amour **(22-64)**. On peut y pratiquer des subdivi-
sions biographiques et distinguer la part de Jeanne Duval **(22-39)**,
celle de Mme Sabatier **(40-48)**, celle de Marie Daubrun **(49-57)** et celle
des passantes **(58-64)**. Mais toutes les pièces consacrées à Jeanne
Duval par exemple ne se trouvent pas dans son livre, de même que
toutes les pièces du livre ne doivent pas lui être attribuées. On peut
aussi y voir des images du désir : le cruel **(22-39)**, l'adorant **(40-48)**,
et, regardant vers l'un et vers l'autre, celui de l'amour vieillissant
(49-64). Mais ce sont là des masques, soulevés et remis : le chant
de la passion, s'il est toujours fort, n'est ni homogène ni constant.

   22. Parfum exotique *(paru en 1857)* associe à la présence de la femme
   le souvenir dans sa forme baudelairienne, faite du plaisir de l'insa-
   tisfaction et de l'absence autant que du désir de la possession.

Jeanne Duval est sans doute l'inspiratrice du *Parfum exotique*, et plus certainement celle d'*Un Hémisphère dans une Chevelure* et de *La Chevelure*. De cette
femme qui tint tant de place dans la vie de Baudelaire, nous ne connaissons ni
l'origine, ni l'âge exact, ni même le nom véritable. Elle était sournoise et débau-
chée, menteuse et dépensière, fort sotte de surcroît. Était-elle belle ? Ses amis
ne s'accordent pas sur ce point, et les portraits se contredisent. C'était une métisse
au teint cuivré, avec de grands yeux bruns, de fortes lèvres, quelque chose de
divin et de bestial dans l'allure (au témoignage de Banville), et surtout de beaux
cheveux d'un noir bleu, largement ondulés.

Trois images
de Jeanne Duval
dessinées par Baudelaire

UN HÉMISPHÈRE DANS UNE CHEVELURE
(Petits Poèmes en prose, 17.)

Laisse-moi respirer longtemps, longtemps, l'odeur de tes cheveux, y plonger tout mon visage, comme un homme altéré dans l'eau d'une source, et les agiter avec ma main comme un mouchoir odorant, pour secouer
5 des souvenirs dans l'air.

Si tu pouvais savoir tout ce que je vois! tout ce que je sens! tout ce que j'entends dans tes cheveux! Mon âme voyage sur le parfum comme l'âme des autres hommes sur la musique.

10 Tes cheveux contiennent tout un rêve, plein de voilures et de mâtures, ils contiennent de grandes mers dont les moussons me portent vers de charmants climats, où l'espace est plus bleu et plus profond, où l'atmosphère est parfumée par les fruits, par les feuilles
15 et par la peau humaine.

Dans l'océan de ta chevelure, j'entrevois un port fourmillant de chants mélancoliques, d'hommes vigoureux de toutes nations et de navires de toutes formes découpant leurs architectures fines et compliquées sur
20 un ciel immense où se prélasse l'éternelle chaleur.

Dans les caresses de ta chevelure, je retrouve les langueurs des longues heures passées sur un divan, dans la chambre d'un beau navire, bercées par le roulis imperceptible du port, entre les pots de fleurs et les gargou-
25 lettes rafraîchissantes.

Dans l'ardent foyer de ta chevelure, je respire l'odeur du tabac mêlé à l'opium et au sucre; dans la nuit de ta chevelure, je vois resplendir l'infini de l'azur tropical; sur les rivages duvetés de ta chevelure, je m'enivre des
30 odeurs combinées du goudron, du musc et de l'huile de coco.

Laisse-moi mordre longtemps tes tresses lourdes et noires. Quand je mordille tes cheveux élastiques et rebelles, il me semble que je mange des souvenirs.

23. LA CHEVELURE

O toison, moutonnant jusque sur l'encolure!
O boucles! O parfum chargé de nonchaloir [1]!
Extase! Pour peupler ce soir l'alcôve obscure
Des souvenirs dormant dans cette chevelure,
5   Je la veux agiter dans l'air comme un mouchoir!

La langoureuse Asie et la brûlante Afrique,
Tout un monde lointain, absent, presque défunt,
Vit dans tes profondeurs, forêt aromatique!
Comme d'autres esprits voguent sur la musique,
10 Le mien, ô mon amour! nage sur ton parfum.

J'irai là-bas où l'arbre et l'homme, pleins de séve,
Se pâment longuement sous l'ardeur des climats;
Fortes tresses, soyez la houle qui m'enlève!
Tu contiens, mer d'ébène, un éblouissant rêve
15 De voiles, de rameurs, de flammes et de mâts :

Un port retentissant où mon âme peut boire
A grands flots le parfum, le son et la couleur;
Où les vaisseaux, glissant dans l'or et dans la moire,
Ouvrent leurs vastes bras pour embrasser la gloire
20 D'un ciel pur où frémit l'éternelle chaleur.

Je plongerai ma tête amoureuse d'ivresse
Dans ce noir océan où l'autre est enfermé;
Et mon esprit subtil que le roulis caresse
Saura vous retrouver, ô féconde paresse,
25 Infinis bercements du loisir embaumé!

Cheveux bleus, pavillon de ténèbres tendues,
Vous me rendez l'azur du ciel immense et rond;
Sur les bords duvetés de vos mèches tordues
Je m'enivre ardemment des senteurs confondues
30 De l'huile de coco, du musc et du goudron.

Longtemps! toujours! ma main dans ta crinière lourde
Sèmera le rubis, la perle et le saphir,

---

1. Nonchalance (mot vieilli).

Afin qu'à mon désir tu ne sois jamais sourde!
N'es-tu pas l'oasis où je rêve, et la gourde
35 Où je hume à longs traits le vin du souvenir ?

23. La Chevelure a été publiée en mai 1859, *Un Hémisphère dans une
Chevelure* en août 1857 (et le *Parfum exotique* en juin de la même
année). Si la chronologie de la composition n'est pas nécessairement
celle de la publication, il reste que *La Chevelure* paraît l'héritière
d'*Un Hémisphère dans une Chevelure*. En tous cas Baudelaire, loin
d'effacer la parenté des deux œuvres, a souligné lui-même cette mise
en concurrence de la prose et du vers (voir : Crépet-Blin, *Les Fleurs
du Mal*).

① Montrer que *La Chevelure* et *Un Hémisphère dans une Chevelure*
organisent parallèlement strophes et versets sur le même thème.

② Étudier certaines caractéristiques d'exécution :
   — la prose use de quelques effets sonores de la poésie (allitéra-
      tions, assonances);
   — elle refuse (généralement) les facilités et les banalités du
      rythme et recherche l'impair;
   — le vocabulaire de la poésie est plus traditionnel et évite le
      pittoresque immédiat;
   — le rythme poétique, dans ses ruptures à la rime ou à l'hémis-
      tiche, offre des ressources qui échappent à la prose;
   — la poésie fait un plus grand usage des homophonies;
   — la poésie peut tendre vers la prose par l'asymétrie du vers ou
      de la strophe, par l'effacement du rythme.

③ Considérer l'effet d'ensemble :
   — les thèmes ne sont-ils pas intimement mêlés en poésie, et non
      en prose où l'on continue à distinguer l'homme de l'univers?
   — l'unité de la poésie n'est-elle pas plus sensible du fait que
      les correspondances de thèmes et de rythmes sont plus
      fortes?
   — que penser de cet effort vers l'unité qui caractérise la poésie?

④ Faire apparaître certaines constantes de la poésie baudelairienne, en prose ou en vers, tendant :
   — à multiplier les associations et à les cristalliser autour d'un
      symbole;
   — à confondre l'être aimé et l'univers, le souvenir et la réalité
      présente;
   — à faire triompher la poésie sur et dans la volupté, sur et dans
      la vie.

⑤ Étudier et discuter cette phrase de J. Prévost :
   — « Parfum donc souvenir n'est pas simplement un trait parti-
      culier de la mémoire du poète; c'est bien davantage une res-
      source de son art, un moyen de donner une unité imprévue,
      une liberté et une harmonie nouvelles à toutes les autres
      images. »

29. UNE CHAROGNE

Rappelez-vous l'objet que nous vîmes, mon âme,
    Ce beau matin d'été si doux :
Au détour d'un sentier une charogne [1] infâme
    Sur un lit semé de cailloux [...]

Le soleil rayonnait sur cette pourriture,
10   Comme afin de la cuire à point,
Et de rendre au centuple à la grande Nature
    Tout ce qu'ensemble elle avait joint;

Et le ciel regardait la carcasse superbe
    Comme une fleur s'épanouir.
15 La puanteur était si forte, que sur l'herbe
    Vous crûtes vous évanouir.

Les mouches bourdonnaient sur ce ventre putride [2],
    D'où sortaient de noirs bataillons
De larves, qui coulaient comme un épais liquide
20   Le long de ces vivants haillons.

Tout cela descendait, montait comme une vague,
    Ou s'élançait en pétillant;
On eût dit que le corps, enflé d'un souffle vague,
    Vivait en se multipliant.

25 Et ce monde rendait une étrange musique,
    Comme l'eau courante et le vent,
Ou le grain qu'un vanneur d'un mouvement rythmique
    Agite et tourne dans son van [3].

Les formes s'effaçaient et n'étaient plus qu'un rêve,
30   Une ébauche lente à venir,
Sur la toile oubliée, et que l'artiste achève
    Seulement par le souvenir.

---

1. Corps de bête morte et en décomposition. — 2. En train de pourrir. — 3. Sorte de panier plat qui sert au vanneur nettoyant les grains.

Derrière les rochers une chienne inquiète
            Nous regardait d'un œil fâché,
35 Épiant le moment de reprendre au squelette
            Le morceau qu'elle avait lâché.

— Et pourtant vous serez semblable à cette ordure,
            A cette horrible infection,
Étoile de mes yeux, soleil de ma nature,
40   Vous, mon ange et ma passion !

Oui ! telle vous serez, ô la reine des grâces,
            Après les derniers sacrements,
Quand vous irez, sous l'herbe et les floraisons grasses,
            Moisir parmi les ossements.

45 Alors, ô ma beauté ! dites à la vermine
            Qui vous mangera de baisers,
Que j'ai gardé la forme et l'essence [1] divine
            De mes amours décomposés !

---

29. Une Charogne *(parue en 1857)* a fait scandale et a valu à son
auteur de passer pour « le prince des Charognes », « l'inventeur de la
littérature-charogne ». Le thème en est pourtant traditionnel : à la
femme aimée, le poète qui vient de faire son éloge rappelle que la
beauté n'est rien si la passion et l'art ne l'éternisent. Mais Ronsard
conduisait sa « mignonne » devant les roses nées dans le jardin d'un
palais pour lui faire cette leçon, et Baudelaire promène ses amours
dans une banlieue sordide, s'arrête devant un cadavre putride, et se
garde d'effacer l'horreur par un appel au bonheur.

① Le mélange des thèmes (du printemps et de la misère, de la mort
et de la fécondité...) aboutirait au triomphe des plus beaux : celui de
l'art (v. 29 à 32), celui de l'éternité (v. 45 à 48). Comment ce mouvement est-il corrigé ? Pourquoi ?

② La strophe est de type élégiaque. N'est-ce pas le plus fort des
effets de contraste ?

③ Le réalisme de Baudelaire n'est-il pas commandé par un choix ?
Lequel ? L'art transforme la réalité. Est-ce par transfiguration ou
par changement de la valeur des choses ?

④ « Il m'a paru plaisant, et d'autant plus agréable que la tâche
était plus difficile, d'extraire la beauté du Mal », a écrit Baudelaire.
Commenter.

---

1. *Forme* et *essence* doivent être entendus, comme dans la philosophie scolastique,
dans leur sens aristotélicien : la forme est le principe substantiel qui donne ses attri-
buts à l'être, l'essence en est la nature propre et nécessaire.

34. LE CHAT

Viens, mon beau chat, sur mon cœur amoureux;
    Retiens les griffes de ta patte,
Et laisse-moi plonger dans tes beaux yeux,
    Mêlés de métal et d'agate.

5 Lorsque mes doigts caressent à loisir
    Ta tête et ton dos élastique,
Et que ma main s'enivre du plaisir
    De palper ton corps électrique,

Je vois ma femme en esprit. Son regard,
10   Comme le tien, aimable bête,
Profond et froid, coupe et fend comme un dard,

    Et, des pieds jusques à la tête,
Un air subtil, un dangereux parfum
    Nagent autour de son corps brun.

35. DUELLUM [1]

Deux guerriers ont couru l'un sur l'autre; leurs armes
Ont éclaboussé l'air de lueurs et de sang.
Ces jeux, ces cliquetis du fer sont les vacarmes
D'une jeunesse en proie à l'amour vagissant.

5 Les glaives sont brisés! comme notre jeunesse,
Ma chère! Mais les dents, les ongles acérés,
Vengent bientôt l'épée et la dague traîtresse.
— O fureur des cœurs mûrs par l'amour ulcérés!

Dans le ravin hanté des chats-pards [2] et des onces [3]
10 Nos héros, s'étreignant méchamment, ont roulé,
Et leur peau fleurira l'aridité des ronces.

———————

1. Forme archaïque de *bellum* (la guerre, le combat). — 2. Sorte de lynx. — 3. Félin semblable au jaguar.

— Ce gouffre, c'est l'enfer, de nos amis peuplé!
Roulons-y sans remords, amazone inhumaine,
Afin d'éterniser l'ardeur de notre haine!

36. LE BALCON

Mère des souvenirs, maîtresse des maîtresses,
O toi, tous mes plaisirs! ô toi, tous mes devoirs!
Tu te rappelleras la beauté des caresses,
La douceur du foyer et le charme des soirs,
5 Mère des souvenirs, maîtresse des maîtresses!

Les soirs illuminés par l'ardeur du charbon,
Et les soirs au balcon, voilés de vapeurs roses.
Que ton sein m'était doux! que ton cœur m'était bon!
Nous avons dit souvent d'impérissables choses
10 Les soirs illuminés par l'ardeur du charbon.

Que les soleils sont beaux dans les chaudes soirées!
Que l'espace est profond! que le cœur est puissant!
En me penchant vers toi, reine des adorées,
Je croyais respirer le parfum de ton sang.
15 Que les soleils sont beaux dans les chaudes soirées!

● Avec *Le Chat* paraît commencer le dernier chapitre du livre noir. Les premiers disaient l'amante, admirée et détestée, et le tourment de l'homme à la recherche d'un impossible accord. Maintenant l'amante est devenue la compagne, acceptée telle qu'elle est : l'ennui et la haine sont les hôtes familiers du vieux couple. Alors s'éloigne et se perd celle qui ne restera que dans la mémoire.

34. Le Chat *(paru en 1857)* est le poème de l'âge mûr. La chevelure et le parfum de la femme **(22-23)** ouvraient les portes du souvenir et du rêve; la caresse et l'odeur du félin sont recherchés parce qu'ils mènent à la femme, sensuellement, sans désirs.

35. Duellum *(paru en 1858)* parle d'une liaison parvenue à son terme et devenue un spectacle et un symbole. Étudier :
① la psychologie de l'amour (du jeu au déchirement);
② le passage du monde visible au monde intérieur;
③ l'art d'éloigner et de poétiser l'évocation : mots nobles, irréalité des peintures, harmonie...

36. Le Balcon *(paru en 1857)* est le plus tendre, le plus musical des chants d'amour : il a été écrit loin de Jeanne, qui avait exigé une rupture définitive! Ce n'est que dans le souvenir et dans l'éternité que vit le merveilleux.

La nuit s'épaississait ainsi qu'une cloison,
Et mes yeux dans le noir devinaient tes prunelles,
Et je buvais ton souffle, ô douceur! ô poison!
Et tes pieds s'endormaient dans mes mains fraternelles.
20   La nuit s'épaississait ainsi qu'une cloison.

Je sais l'art d'évoquer les minutes heureuses,
Et revis mon passé blotti dans tes genoux.
Car à quoi bon chercher tes beautés langoureuses
Ailleurs qu'en ton cher corps et qu'en ton cœur si doux?
25   Je sais l'art d'évoquer les minutes heureuses!

Ces serments, ces parfums, ces baisers infinis,
Renaîtront-ils d'un gouffre interdit à nos sondes,
Comme montent au ciel les soleils rajeunis
Après s'être lavés au fond des mers profondes?
30   — O serments! ô parfums! ô baisers infinis!

39

Je te donne ces vers afin que si mon nom
Aborde heureusement aux époques lointaines,
Et fait rêver un soir les cervelles humaines,
Vaisseau favorisé par un grand aquilon,

5   Ta mémoire, pareille aux fables incertaines,
Fatigue le lecteur ainsi qu'un tympanon,
Et par un fraternel et mystique chaînon
Reste comme pendue à mes rimes hautaines;

Être maudit à qui, de l'abîme profond
10   Jusqu'au plus haut du ciel, rien, hors moi, ne répond!
— O toi qui, comme une ombre à la trace éphémère,

Foules d'un pied léger et d'un regard serein
Les stupides mortels qui t'ont jugée amère,
Statue aux yeux de jais, grand ange au front d'airain!

---

39 *a été publié en 1857.* C'est le poème de l'adieu: le voyageur a quitté
le port où il s'était longuement arrêté. A celle qu'il y a laissée, et
dont il n'a gardé que les souvenirs les plus beaux et les plus hauts, il
confère l'immortalité, récompense des Muses.

CL. GIRAUDON

Madame Sabatier

40. SEMPER EADEM [1]

« D'où vous vient, disiez-vous, cette tristesse étrange,
Montant comme la mer sur le roc noir et nu ? »
— Quand notre cœur a fait une fois sa vendange,
Vivre est un mal. C'est un secret de tous connu,

5 Une douleur très simple et non mystérieuse,
Et, comme votre joie, éclatante pour tous.
Cessez donc de chercher, ô belle curieuse !
Et, bien que votre voix soit douce, taisez-vous !

Taisez-vous, ignorante ! âme toujours ravie !
10 Bouche au rire enfantin ! Plus encor que la Vie,
La Mort nous tient souvent par des liens subtils.

Laissez, laissez mon cœur s'enivrer d'un *mensonge*,
Plonger dans vos beaux yeux comme dans un beau songe,
Et sommeiller longtemps à l'ombre de vos cils !

41. TOUT ENTIÈRE

Le Démon, dans ma chambre haute,
Ce matin est venu me voir,
Et, tâchant à me prendre en faute,
Me dit : « Je voudrais bien savoir,

5 Parmi toutes les belles choses
Dont est fait son enchantement,
Parmi les objets noirs ou roses
Qui composent son corps charmant,

Quel est le plus doux. » — O mon âme !
10 Tu répondis à l'Abhorré :
« Puisqu'en Elle tout est dictame [2],
Rien ne peut être préféré.

---

1. Toujours la même (voir p. 51). — 2. Plante qui avait, selon les Anciens, la propriété de guérir des morsures des serpents et des blessures faites par les flèches.

Lorsque tout me ravit, j'ignore
Si quelque chose me séduit.
15 Elle éblouit comme l'Aurore
Et console comme la Nuit;

Et l'harmonie est trop exquise,
Qui gouverne tout son beau corps,
Pour que l'impuissante analyse
20 En note les nombreux accords.

O métamorphose mystique
De tous mes sens fondus en un!
Son haleine fait la musique,
Comme sa voix fait le parfum! »

● **Aglaé (Apollonie) Sabatier** nous est bien connue : parmi les familiers de son salon, il y avait beaucoup d'hommes de lettres (Musset,
Dumas père, Théophile Gautier, Flaubert...), et elle a servi de
modèle à Clésinger, à Ricard et à Meissonnier. C'était une « belle
femme à l'antique » au témoignage des Goncourt, avec un teint
clair, des cheveux soyeux, toujours joyeuse, simple et bonne.
Quand, le 9 décembre 1852, Baudelaire commença une cour épisto-
laire discrète en lui envoyant *A celle qui est trop gaie*, il s'adressait
à une créature superbe et inaccessible devant laquelle il serait
comme un enfant adorant et tremblant. Elle était mal faite pour le
rôle.

40. Semper eadem *(publié en 1860) a été placé, dans la seconde édition, entre le livre noir et le livre angélique.*
C'est le poème du mensonge : mensonge du recommencement de
l'amour et mensonge de la vie. L'esprit est attiré par la mort et
ne peut chercher dans de beaux yeux que le gouffre du sommeil.
① Comment entendre le titre? Est-ce Mme Sabatier qui est « toujours la même »? Est-ce Jeanne, aimée malgré sa « mort »? Est-ce
la femme en général? Est-ce la passion?
② Montrer, dans le dernier tercet, la préciosité de l'image (quel
paysage compose-t-elle?); la présence de la raison et son rôle.
③ Comparer les sentiments qui lient le poète à la « belle curieuse »
et ceux qu'appelait la déclaration « à celle qui est trop gaie ».

41. Tout entière *(1857) se trouvait, dans la première édition, au début
du livre et devait donc en offrir les clefs.*
A l'éloge pétrarquisant de l'aimée dans toutes ses beautés, Baudelaire substitue une équivalence métaphysique :
① Quel sens a l'image de la chambre haute? Qui est le démon?
Quel est son rôle dans la lutte de l'éternité contre le plaisir?
② Comment l'aimée s'identifie-t-elle à l'unité (qui est la poésie et
qui est dieu)?

42

Que diras-tu ce soir, pauvre âme solitaire,
Que diras-tu, mon cœur, cœur autrefois flétri,
A la très belle, à la très bonne, à la très chère,
Dont le regard divin t'a soudain refleuri ?

5 — Nous mettrons notre orgueil à chanter ses louanges :
Rien ne vaut la douceur de son autorité;
Sa chair spirituelle a le parfum des Anges,
Et son œil nous revêt d'un habit de clarté.

Que ce soit dans la nuit et dans la solitude,
10 Que ce soit dans la rue et dans la multitude,
Son fantôme dans l'air danse comme un flambeau.

Parfois il parle et dit : « Je suis belle, et j'ordonne
Que pour l'amour de moi vous n'aimiez que le Beau;
Je suis l'Ange gardien, la Muse et la Madone. »

43. LE FLAMBEAU VIVANT

Ils marchent devant moi, ces Yeux pleins de lumières,
Qu'un Ange très savant a sans doute aimantés;
Ils marchent, ces divins frères qui sont mes frères,
Secouant dans mes yeux leurs feux diamantés.

5 Me sauvant de tout piège et de tout péché grave,
Ils conduisent mes pas dans la route du Beau;
Ils sont mes serviteurs et je suis leur esclave;
Tout mon être obéit à ce vivant flambeau.

Charmants Yeux, vous brillez de la clarté mystique
10 Qu'ont les cierges brûlant en plein jour; le soleil
Rougit, mais n'éteint pas leur flamme fantastique;

Ils célèbrent la Mort, vous chantez le Réveil;
Vous marchez en chantant le réveil de mon âme,
Astres dont nul soleil ne peut flétrir la flamme!

44. RÉVERSIBILITÉ[1]   *Mme Sabatier*

Ange plein de gaieté, connaissez-vous l'angoisse,
La honte, les remords, les sanglots, les ennuis,
Et les vagues terreurs de ces affreuses nuits
Qui compriment le cœur comme un papier qu'on froisse ?
5 Ange plein de gaieté, connaissez-vous l'angoisse ?

Ange plein de bonté, connaissez-vous la haine,
Les poings crispés dans l'ombre et les larmes de fiel,
Quand la Vengeance bat son infernal rappel,
Et de nos facultés se fait le capitaine ?
10 Ange plein de bonté, connaissez-vous la haine ?

Ange plein de santé, connaissez-vous les Fièvres,
Qui, le long des grands murs de l'hospice blafard,
Comme des exilés, s'en vont d'un pied traînard,
Cherchant le soleil rare et remuant les lèvres ?
15 Ange plein de santé, connaissez-vous les Fièvres ?

Ange plein de beauté, connaissez-vous les rides,
Et la peur de vieillir, et ce hideux tourment
De lire la secrète horreur du dévouement
Dans des yeux où longtemps burent nos yeux avides ?
20 Ange plein de beauté, connaissez-vous les rides ?

Ange plein de bonheur, de joie et de lumières,
David mourant aurait demandé la santé [2]
Aux émanations de ton corps enchanté;
Mais de toi je n'implore, ange, que tes prières,
25 Ange plein de bonheur, de joie et de lumières!

---

42. *(paru en 1855)*, **43.** *(1857)* et **44.** *(1855)* sont les dialogues de
l'âme et de l'ange dont les mérites, « reversés » sur le poète, le rachè-
tent.
  ① Étudier le symbolisme de la lumière; ses différents sens païens
et chrétiens.
  ② Le visage pathétique de l'homme vieillissant devant une jeune
femme.

---

1. Pour les catholiques, il y a une « communion », une union entre les églises du
ciel, du purgatoire et de la terre. Les mérites des élus sont « réversibles » et allègent
la charge des malheureux. — 2. La jeune et belle Abishag réchauffa de sa présence les derniers jours du roi David (*Rois*, I, 1).

47. HARMONIE DU SOIR

Voici venir les temps où vibrant sur sa tige
Chaque fleur s'évapore ainsi qu'un encensoir;
Les sons et les parfums tournent dans l'air du soir;
Valse mélancolique et langoureux vertige!

⁵ Chaque fleur s'évapore ainsi qu'un encensoir;
Le violon frémit comme un cœur qu'on afflige;
Valse mélancolique et langoureux vertige!
Le ciel est triste et beau comme un grand reposoir.

Le violon frémit comme un cœur qu'on afflige,
¹⁰ Un cœur tendre, qui hait le néant vaste et noir!
Le ciel est triste et beau comme un grand reposoir;
Le soleil s'est noyé dans son sang qui se fige.

Un cœur tendre, qui hait le néant vaste et noir,
Du passé lumineux recueille tout vestige!
¹⁵ Le soleil s'est noyé dans son sang qui se fige...
Ton souvenir en moi luit comme un ostensoir!

48. LE FLACON

Il est de forts parfums pour qui toute matière
Est poreuse. On dirait qu'ils pénètrent le verre.
En ouvrant un coffret venu de l'Orient
Dont la serrure grince et rechigne en criant,

⁵ Ou dans une maison déserte quelque armoire
Pleine de l'âcre odeur des temps, poudreuse et noire,
Parfois on trouve un vieux flacon qui se souvient,
D'où jaillit toute vive une âme qui revient.

Mille pensers dormaient, chrysalides funèbres,
¹⁰ Frémissant doucement dans les lourdes ténèbres,
Qui dégagent leur aile et prennent leur essor,
Teintés d'azur, glacés de rose, lamés d'or.

Voilà le souvenir enivrant qui voltige
Dans l'air troublé; les yeux se ferment; le Vertige
15 Saisit l'âme vaincue et la pousse à deux mains
Vers un gouffre obscurci de miasmes humains;

Il la terrasse au bord d'un gouffre séculaire,
Où, Lazare [1] odorant déchirant son suaire,
Se meut dans son réveil le cadavre spectral
20 D'un vieil amour ranci, charmant et sépulcral.

Ainsi, quand je serai perdu dans la mémoire
Des hommes, dans le coin d'une sinistre armoire
Quand on m'aura jeté, vieux flacon désolé,
Décrépit, poudreux, sale, abject, visqueux, fêlé,

25 Je serai ton cercueil, aimable pestilence!
Le témoin de ta force et de ta virulence,
Cher poison préparé par les anges! liqueur
Qui me ronge, ô la vie et la mort de mon cœur!

● Les deux dernières pièces du livre angélique rejettent dans le passé une Madone trop présente dont le retour du jour avait déjà fait un fantôme.

47. Harmonie du Soir *(1857)* utilise les effets incantatoires du pantoum [2] pour dire, sans l'arrêter, la vibration du souvenir. Étudier :
① La maîtrise technique : le jeu sur deux rimes, les reprises de vers, les allitérations, la répartition des accents et des soupirs.
② L'enlacement des images tendres et des images religieuses; le progrès de la contemplation à l'émotion; l'immobilisation finale.
③ Le rôle de l'amour (comparer avec *Le Balcon*, dédié à Jeanne.)

48. Le Flacon *(1857)* reprend, à l'usage de celle que l'on quitte et qui ne comprend pas, le thème d'*Une Charogne* (voir p. 44).
① Étudier la construction; la succession des images; les correspondances; le passage de la comparaison au symbole.
② L'ambiguïté du sens (en particulier dans les deux dernières strophes) : le parfum est-il le souvenir ou la poésie ? Comment entendre « aimable pestilence »? est-on devant une déclaration d'union éternelle ou devant un adieu méprisant ?
③ Le mélange du précieux et du macabre, le goût de la pourriture et de la mystification.

---

1. Voir l'Évangile de saint Jean, XI, 34. — 2. Le pantoum régulier exige le croisement des vers et des thèmes. Deux sens se développent parallèlement le long du poème qui est fait de quatrains à rimes croisées. Le second et le quatrième vers de chaque strophe sont repris comme premier et troisième vers de la strophe suivante, etc... D'origine malaise, découvert grâce à V. Hugo, le pantoum a été utilisé par Asselineau, puis par Leconte de Lisle et par Banville qui en a codifié les règles.

Marie Daubrun,
dans le rôle de la Belle aux cheveux d'or

49 LE POISON

Le vin sait revêtir le plus sordide bouge
          D'un luxe miraculeux,
Et fait surgir plus d'un portique fabuleux
          Dans l'or de sa vapeur rouge,
5 Comme un soleil couchant dans un ciel nébuleux.

L'opium agrandit ce qui n'a pas de bornes,
          Allonge l'illimité,
Approfondit le temps, creuse la volupté,
          Et de plaisirs noirs et mornes
10 Remplit l'âme au delà de sa capacité.

Tout cela ne vaut pas le poison qui découle
          De tes yeux, de tes yeux verts,
Lacs où mon âme tremble et se voit à l'envers...
          Mes songes viennent en foule
15 Pour se désaltérer à ces gouffres amers [...]

● D'autres figures de femmes traversent *Les Fleurs du Mal*. On ne
les distingue pas toujours nettement, tant il est vrai que c'est sans
cesse le même paysage intérieur que contemple l'amant. La moins
floue est celle de Marie Daubrun, une actrice amie de Banville, que
Baudelaire rencontra en 1847 et dont il essaya longtemps de servir
la carrière. C'est la belle aux cheveux d'or et aux yeux verts qui
peut avoir été l'inspiratrice des poèmes **49** à **57**.

49. Le Poison *(1857)* est un madrigal, d'un ton et d'un tour inhabi-
tuels.
① A ce qu'il connaît de plus beau au monde, l'amant compare sa
maîtresse, mais l'univers où pénètre l'amour est celui des paradis
artificiels (str. 1 et 2); ce que donne l'amante est un poison (str. 3
et 4) :

      Qui plonge dans l'oubli mon âme sans remord,
          Et, charriant le vertige,
      La roule défaillante aux rives de la mort! (v. 18 à 20);
l'inquiétude et le malaise l'emportent sur le bonheur.
② La forme est remarquable par l'alternance des vers de douze et
de sept syllabes et par la disposition des rimes, par l'usage des
coupes et la variété des groupes rythmiques.
③ De même que *Semper eadem* enchaînait le second livre des
amours au premier, *Le Poison* reprend la fin du *Flacon* (et fait repa-
raître, dans sa troisième strophe, l'image des derniers vers de *Semper eadem*).

50. CIEL BROUILLÉ

On dirait ton regard d'une vapeur couvert;
Ton œil mystérieux (est-il bleu, gris ou vert?)
Alternativement tendre, rêveur, cruel,
Réfléchit l'indolence et la pâleur du ciel.

5 Tu rappelles ces jours blancs, tièdes et voilés,
Qui font se fondre en pleurs les cœurs ensorcelés,
Quand, agités d'un mal inconnu qui les tord,
Les nerfs trop éveillés raillent l'esprit qui dort.

Tu ressembles parfois à ces beaux horizons
10 Qu'allument les soleils des brumeuses saisons...
Comme tu resplendis, paysage mouillé
Qu'enflamment les rayons tombant d'un ciel brouillé!

O femme dangereuse, ô séduisants climats!
Adorerai-je aussi ta neige et vos frimas,
15 Et saurai-je tirer de l'implacable hiver
Des plaisirs plus aigus que la glace et le fer?

51. LE CHAT

I

Dans ma cervelle se promène,
Ainsi qu'en son appartement,
Un beau chat, fort, doux et charmant.
Quand il miaule, on l'entend à peine,

5 Tant son timbre est tendre et discret;
Mais que sa voix s'apaise ou gronde,
Elle est toujours riche et profonde.
C'est là son charme et son secret.

Cette voix, qui perle et qui filtre
10 Dans mon fonds le plus ténébreux,
Me remplit comme un vers nombreux [1]
Et me réjouit comme un philtre [2].

---

1. Cadencé (sens classique). — 2. Voir p. 38, note 1.

Elle endort les plus cruels maux
Et contient toutes les extases;
15 Pour dire les plus longues phrases,
Elle n'a pas besoin de mots.

Non, il n'est pas d'archet qui morde
Sur mon cœur, parfait instrument,
Et fasse plus royalement
20 Chanter sa plus vibrante corde,

Que ta voix, chat mystérieux,
Chat séraphique, chat étrange,
En qui tout est, comme en un ange,
Aussi subtil qu'harmonieux!

II

25 De sa fourrure blonde et brune
Sort un parfum si doux, qu'un soir
J'en fus embaumé, pour l'avoir
Caressée une fois, rien qu'une.

---

50. Ciel brouillé *(paru en 1857)* place le chapitre dans son climat, celui de l'automne, du malaise qu'apporte l'usure, de l'incertitude et de la révolte.

① Étudier la comparaison entre la femme et le paysage, le croisement des épithètes et leur fusion.

② La place du poète : sa soumission à une nature féminine et sa cruauté, la confusion du bonheur et des larmes.

③ L'originalité de l'exécution : les hardiesses grammaticales, les raccourcis de syntaxe, les rimes masculines. Son effet : rudesse et obscurité.

51. Le Chat *(paru en 1857)*, l'animal favori de Baudelaire, vient s'installer dans le livre de Marie après avoir été dans celui de Jeanne (34).

① Étudier la description : ses moyens, son support musical, l'association et le progrès des sensations.

② Les pouvoirs du chat-sorcier : leurs véhicules (la voix, le parfum, les yeux), leur origine et leur effet.

③ On comprendra mieux de quelle nature est l'obsession de Baudelaire et pourquoi elle se manifeste sous cette forme en lisant *Le Chat noir* (E. Poe, *Nouvelles Histoires extraordinaires*).

52. Le Beau Navire *(paru en 1857)* est le symbole de la femme, peinte alors qu'elle s'éloigne, étrange et majestueuse.

C'est l'esprit familier du lieu;
30 Il juge, il préside, il inspire
Toutes choses dans son empire;
Peut-être est-il fée, est-il dieu?

Quand mes yeux, vers ce chat que j'aime
Tirés comme par un aimant,
35 Se retournent docilement
Et que je regarde en moi-même,

Je vois avec étonnement
Le feu de ses prunelles pâles,
Clairs fanaux, vivantes opales,
40 Qui me contemplent fixement.

53. L'INVITATION AU VOYAGE

Mon enfant, ma sœur,
Songe à la douceur
D'aller là-bas vivre ensemble!
Aimer à loisir,
5   Aimer et mourir
Au pays qui te ressemble!
Les soleils mouillés
De ces ciels[1] brouillés
Pour mon esprit ont les charmes
10   Si mystérieux
De tes traîtres yeux,
Brillant à travers leurs larmes.

Là, tout n'est qu'ordre et beauté,
Luxe, calme et volupté.

15   Des meubles luisants,
Polis par les ans,
Décoreraient notre chambre;
Les plus rares fleurs
Mêlant leurs odeurs

---

1. Pluriel de *ciel*, dans le vocabulaire des peintres.

20 Aux vagues senteurs de l'ambre,
        Les riches plafonds,
        Les miroirs profonds,
    La splendeur orientale,
        Tout y parlerait
25   A l'âme en secret
    Sa douce langue natale.

    Là, tout n'est qu'ordre et beauté,
    Luxe, calme et volupté.

        Vois sur ces canaux
30   Dormir ces vaisseaux
    Dont l'humeur est vagabonde;
        C'est pour assouvir
        Ton moindre désir
    Qu'ils viennent du bout du monde.
35   — Les soleils couchants
        Revêtent les champs,
    Les canaux, la ville entière,
        D'hyacinthe et d'or;
        Le monde s'endort
40 Dans une chaude lumière.

    Là, tout n'est qu'ordre et beauté,
    Luxe, calme et volupté.

---

53. L'Invitation au Voyage *(paru en 1855)* dit le besoin du départ,
avec une sœur qui est l'image du monde imaginaire où tout s'épanouit, mais dont on doit encore partir, dans la paix et la quiétude
des heures dernières, vers un nouvel au-delà. Étudier :
① Le mouvement du rêve (v. 2) à la vision (v. 29) qui se perd
dans la lumière; la composition en triptyque (et les parentés entre
les str. 1 et 3); la complexité des sentiments (ex. : v. 5, 9 et 11,
30 et 31); la signification du thème (v. 24-26, 32-34, 39-42).
② Le jeu des correspondances entre le poète, la femme et le
paysage : sa naissance (v. 3-6), son développement, sa signification sentimentale, intellectuelle (v. 9), et poétique.
③ Les richesses musicales : la nature des vers et leur alternance,
la structure de la strophe, l'élargissement rythmique dans la
strophe et d'une strophe à l'autre, le refrain, la ligne mélodique.
④ Les tableaux évoqués à travers l'œuvre des maîtres (Vermeer,
Ruysdaël...). Celui de la str. 2 est-il transposé ou recréé intellec-
tuellement ? Comment est-il enrichi (v. 18-20), spiritualisé (v. 24-
26) ? Quelle valeur picturale et symbolique a le miroir (v. 15, 22) ?

55. CAUSERIE

Vous êtes un beau ciel d'automne, clair et rose!
Mais la tristesse en moi monte comme la mer,
Et laisse, en refluant, sur ma lèvre morose
Le souvenir cuisant de son limon amer.

5 — Ta main se glisse en vain sur mon sein qui se pâme;
Ce qu'elle cherche, amie, est un lieu saccagé
Par la griffe et la dent féroce de la femme.
Ne cherchez plus mon cœur; les bêtes l'ont mangé.

Mon cœur est un palais flétri par la cohue;
10 On s'y soûle, on s'y tue, on s'y prend aux cheveux!
— Un parfum nage autour de votre gorge nue!...

O Beauté, dur fléau des âmes, tu le veux!
Avec tes yeux de feu, brillants comme des fêtes,
Calcine ces lambeaux qu'ont épargnés les bêtes!

56. CHANT D'AUTOMNE

I

Bientôt nous plongerons dans les froides ténèbres;
Adieu, vive clarté de nos étés trop courts!
J'entends déjà tomber avec des chocs funèbres
Le bois retentissant sur le pavé des cours.

5 Tout l'hiver va rentrer dans mon être : colère,
Haine, frissons, horreur, labeur dur et forcé,
Et, comme le soleil dans son enfer polaire,
Mon cœur ne sera plus qu'un bloc rouge et glacé.

J'écoute en frémissant chaque bûche qui tombe;
10 L'échafaud qu'on bâtit n'a pas d'écho plus sourd.
Mon esprit est pareil à la tour qui succombe
Sous les coups du bélier [1] infatigable et lourd.

---

1. Une énorme poutre dont on se servait pour enfoncer les portes ou les murs des villes assiégées.

Il me semble, bercé par ce choc monotone,
Qu'on cloue en grande hâte un cercueil quelque part.
15 Pour qui ? — C'était hier l'été; voici l'automne!
Ce bruit mystérieux sonne comme un départ.

II

J'aime de vos longs yeux la lumière verdâtre,
Douce beauté, mais tout aujourd'hui m'est amer,
Et rien, ni votre amour, ni le boudoir, ni l'âtre,
20 Ne me vaut le soleil rayonnant sur la mer.

Et pourtant aimez-moi, tendre cœur! soyez mère,
Même pour un ingrat, même pour un méchant;
Amante ou sœur, soyez la douceur éphémère
D'un glorieux automne ou d'un soleil couchant.

25 Courte tâche! La tombe attend; elle est avide!
Ah! laissez-moi, mon front posé sur vos genoux,
Goûter, en regrettant l'été blanc et torride,
De l'arrière-saison le rayon jaune et doux!

---

55. Causerie *(1857)* rapproche la Belle du magicien vaincu, sans les réunir : à l'appel de l'amour répond le chant du déclin.

56. Chant d'Automne *(publié en 1859)* fait entendre deux voix de la vieillesse, celle de la peur qu'on éprouve à l'approche du départ vers le froid et vers la nuit, et celle des derniers bonheurs, d'autant plus précieux qu'on ne peut ni les saisir ni s'y abandonner.
① Étudier les scènes qui évoquent l'écoulement du temps. Comment se succèdent-elles? En quoi les motifs diffèrent-ils de ceux de l'automne romantique?
② La manière du poète : le passage de la sensation à la suggestion; les correspondances; l'importance de la sensibilité auditive.
③ La nature et la recherche du bonheur; le rôle de la femme; le retour à l'enfance.

57. A une Madone *(publié en 1860)* paraît bien être un nouveau poème de l'adieu, d'un adieu reconnaissant et vengeur à une fée qui était une femme infidèle, à un amour encore une fois cruel.

● Les poèmes suivants **(58-61)** nous font entrevoir d'autres visages de la femme : sensuelle **(58** : *Chanson d'après-midi)*, galante **(59** : *Sisina)*, mystique **(60** : *Franciscae meae laudes*, des vers latins rimés en l'honneur d'une modiste qui aimait les chants religieux), mondaine **(61** : *A une Dame créole).*

62. MOESTA ET ERRABUNDA[1],

Dis-moi, ton cœur parfois s'envole-t-il, Agathe,
Loin du noir océan de l'immonde cité,
Vers un autre océan où la splendeur éclate,
Bleu, clair, profond, ainsi que la virginité ?
5 Dis-moi, ton cœur parfois s'envole-t-il, Agathe ?

La mer, la vaste mer, console nos labeurs !
Quel démon a doté la mer, rauque chanteuse
Qu'accompagne l'immense orgue des vents grondeurs,
De cette fonction sublime de berceuse ?
10 La mer, la vaste mer, console nos labeurs !

Emporte-moi, wagon ! enlève-moi, frégate !
Loin ! loin ! ici la boue est faite de nos pleurs !
— Est-il vrai que parfois le triste cœur d'Agathe
Dise : Loin des remords, des crimes, des douleurs,
15 Emporte-moi, wagon, enlève-moi, frégate ?

Comme vous êtes loin, paradis parfumé,
Où sous un clair azur tout n'est qu'amour et joie,
Où tout ce que l'on aime est digne d'être aimé,
Où dans la volupté pure le cœur se noie !
20 Comme vous êtes loin, paradis parfumé !

Mais le vert paradis des amours enfantines,
Les courses, les chansons, les baisers, les bouquets,
Les violons vibrant derrière les collines,
Avec les brocs de vin, le soir, dans les bosquets,
25 — Mais le vert paradis des amours enfantines,

L'innocent paradis, plein de plaisirs furtifs,
Est-il déjà plus loin que l'Inde et que la Chine ?
Peut-on le rappeler avec des cris plaintifs,
Et l'animer encor d'une voix argentine,
30 L'innocent paradis plein de plaisirs furtifs ?

---

1. Triste et vagabonde. Sur Baudelaire, et sur ce poème en particulier, on lira les ch. 2 et 4 des *Amours Enfantines* (J. ROMAINS, *Les Hommes de Bonne Volonté*, t. 3).

64. SONNET D'AUTOMNE

Ils me disent, tes yeux, clairs comme le cristal :
« Pour toi, bizarre amant, quel est donc mon mérite ? »
— Sois charmante et tais-toi ! Mon cœur, que tout irrite,
Excepté la candeur de l'antique animal,

⁵ Ne veut pas te montrer son secret infernal,
Berceuse dont la main aux longs sommeils m'invite,
Ni sa noire légende avec la flamme écrite.
Je hais la passion et l'esprit me fait mal !

Aimons-nous doucement. L'Amour dans sa guérite,
¹⁰ Ténébreux, embusqué, bande son arc fatal.
Je connais les engins de son vieil arsenal :

Crime, horreur et folie ! — O pâle marguerite !
Comme moi n'es-tu pas un soleil automnal,
O ma si blanche, ô ma si froide Marguerite ?

---

62. Moesta et errabunda *(1855)* ouvre le chapitre final des livres de
l'amour, où l'on découvre une nouvelle fois la déchirante douceur
(62) et l'horreur **(63)** d'une passion dont l'art délivrera l'homme
(64).
① Les images qui se lèvent dans l'âme du poète vieilli appellent
autour de lui ses paysages et ses thèmes préférés.
— ceux d'un ailleurs autrefois connu (strophes 1 à 3) : des
couleurs et des lumières pures sortent des grisailles du
spleen (str. 1), évoquent un monde accordé à la sensibilité
(str. 2) et provoquent un appel désespéré (str. 3);
— ceux de l'amour surtout (str. 4 à 6) : les complaisances
n'en donnent plus qu'une pauvre illusion (v. 18), et il
ne peut être que la forme exquise de la jeunesse, plus inaccessible que les pays les plus enchanteurs (v. 27)!
② Elles nous touchent à travers
— une strophe caractéristique : on verra ce que la reprise du
premier vers apporte au quatrain, quel effet d'obsession
elle donne, ce qu'y ajoutent parfois les allitérations;
— une musique complexe, différente pour les trois premières et
les trois dernières strophes, variée par les effets du rythme
(qui change pour traduire les mouvements de la sensibilité
ou parfois se brise) comme par ceux de l'harmonie.
63. Le Revenant *(1857)* est un dernier cri de vengeance et de haine.
64. Sonnet d'Automne *(1859)* fait entendre le duo de la fin de l'automne et de l'amour, où l'amante est la Marguerite, c'est-à-dire
la perle, belle et glacée, symbole de la poésie.

« Un malheureux ensorcelé
Dans ses tâtonnements futiles... »
Baudelaire sous l'influence du haschich, par lui-même.

66. LES CHATS

Les amoureux fervents et les savants austères
Aiment également, dans leur mûre saison,
Les chats puissants et doux, orgueil de la maison,
Qui comme eux sont frileux et comme eux sédentaires.

5 Amis de la science et de la volupté
Ils cherchent le silence et l'horreur des ténèbres;
L'Érèbe [1] les eût pris pour ses coursiers [2] funèbres,
S'ils pouvaient au servage incliner leur fierté.

Ils prennent en songeant les nobles attitudes
10 Des grands sphinx allongés au fond des solitudes,
Qui semblent s'endormir dans un rêve sans fin;

Leurs reins féconds sont pleins d'étincelles magiques,
Et des parcelles d'or, ainsi qu'un sable fin,
Étoilent vaguement leurs prunelles mystiques.

● **Les cycles du Spleen**[3] **(65-85)** continuent ceux de l'Idéal. Ils se
présentent d'abord comme une suite de rêveries, tristes ou fantas-
tiques (65-73).

65. Tristesses de la Lune *(publié en 1857)* reprend le symbole de la
perle qui devient une larme versée par la lune. Le poète la recueille
« Et la met dans son cœur loin des yeux du soleil. »
Car la lune est un astre fatidique, dont l'influence gouverne le
dandy ou l'artiste, à qui il dit : « tu aimeras ce que j'aime et ce
qui m'aime : l'eau, les nuages, le silence et la nuit; la mer immense
et verte; [...] les parfums qui font délirer; les chats qui se pâment
sur les pianos [...] »[4].

66. Les Chats *(1847)* se glissent une nouvelle fois dans les vers de
Baudelaire où ils sont « une espèce de signature » (Th. Gautier).
① L'homme mûr et le chat se ressemblent (vers 1 à 4) : comparer
les épithètes qui s'adressent à l'un et à l'autre. Mais le chat donne
à l'homme une leçon (vers 5 à 8) : laquelle? Apprécier l'image
mythologique des vers 7 et 8.
③ Les recherches de l'amour comme celles de la science conduisent à un mystérieux au-delà (vers 9 à 14). Dans quel paysage Baudelaire le situe-t-il? Comment l'idéal s'y laisse-t-il deviner? N'a-t-il
pas quelque chose de satanique?

---

1. Chez les Anciens, l'Érèbe, c'est l'obscurité, la partie ténébreuse des Enfers,
et ses chevaux sont ceux du char de la Nuit, mère de la Mort. — 2. Entendre : les
eût pris pour coursiers. — 3. Voir p. 69. — 4. *Petits Poèmes en prose*, 37. Ces poèmes
se sont un moment appelés *Poèmes nocturnes*.

Spleen :　### 74. LA CLOCHE FÊLÉE

Il est amer et doux, pendant les nuits d'hiver,
D'écouter, près du feu qui palpite et qui fume,
Les souvenirs lointains lentement s'élever
Au bruit des carillons qui chantent dans la brume.

5　Bienheureuse la cloche au gosier vigoureux
Qui, malgré sa vieillesse, alerte et bien portante,
Jette fidèlement son cri religieux,
Ainsi qu'un vieux soldat qui veille sous la tente!

Moi, mon âme est fêlée, et lorsqu'en ses ennuis
10　Elle veut de ses chants peupler l'air froid des nuits,
Il arrive souvent que sa voix affaiblie

Semble le râle épais d'un blessé qu'on oublie
Au bord d'un lac de sang, sous un grand tas de morts,
Et qui meurt, sans bouger, dans d'immenses efforts.

75. SPLEEN

Pluviôse, irrité contre la ville entière,
De son urne à grands flots verse un froid ténébreux
Aux pâles habitants du voisin cimetière
Et la mortalité sur les faubourgs brumeux.

5　Mon chat sur le carreau cherchant une litière
Agite sans repos son corps maigre et galeux;
L'âme d'un vieux poëte erre dans la gouttière
Avec la triste voix d'un fantôme frileux.

Le bourdon se lamente, et la bûche enfumée
10　Accompagne en fausset la pendule enrhumée,
Cependant qu'en un jeu plein de sales parfums,

Héritage fatal d'une vieille hydropique,
Le beau valet de cœur et la dame de pique
Causent sinistrement de leurs amours défunts.

◖ 76. SPLEEN

J'ai plus de souvenirs que si j'avais mille ans.

Un gros meuble à tiroirs encombré de bilans,
De vers, de billets doux, de procès, de romances,
Avec de lourds cheveux roulés dans des quittances,
5   Cache moins de secrets que mon triste cerveau.
C'est une pyramide, un immense caveau,
Qui contient plus de morts que la fosse commune.
— Je suis un cimetière abhorré de la lune,

● De toutes les nuances du noir, la belle série des SPLEEN (74-81)
dit l'homme enfermé dans sa condition, en qui l'angoisse métaphysique décuple le malaise physique, victime du mal du siècle
et déjà en proie au sentiment de l'absurde. Le condamné se révolte,
tire sur des liens qui l'étouffent, sans espérance et sans résignation,
tandis que hurlent furieusement les démons des paradis artificiels,
figures mythologiques du monde des ténèbres après avoir été les
figurants des rêveries frénétiques.

74. La Cloche fêlée *(1851)* montre la paralysie intellectuelle, et
presque physique, du poète qui entend toujours les appels multiples des sensations et de la vie.
① La construction est précise. Comment se correspondent le
second et le premier quatrain, le second et le premier tercet, les
tercets et les quatrains? Comment les images et les sentiments
évoluent-ils?
② Le drame est évoqué par les contrastes (de sujet et de style)
entre les tableaux, et par une expression qui donne, dans le second
tercet, jusqu'à l'impression physique de l'étouffement (par quels
moyens : l'ordre des mots, les sonorités, l'usage des monosyllabes
et des accents?).

75. Spleen *(1851)* est le poème des hantises : celles de la maladie et
de la mort, du froid et de la misère, de l'art et de l'amour.
① Comment interpréter les symboles de Pluviôse, du chat poète,
de la vieille hydropique (qui peut être la pluie, Jeanne...)?
② Que penser d'un tel traitement du mal par le sarcasme ?

76. Spleen *(1857)* traduit le désarroi en images plus riches et plus
contrastées, qui se prolongent par un symbole inquiétant, ironique,
malaisément déchiffrable.
① Les images, dont l'incohérence dit le chaos d'une âme, paraissent d'abord celles du passé de l'auteur : la petite enfance dans un
milieu désuet et charmant (v. 11 à 14), les soucis matériels et sentimentaux (v. 2 à 4). Comment les visions funèbres s'y associent-elles?
② A ce passé mort répond un ennui éternel (v. 15 à 18) qui est
celui du sphinx (v. 19 à 24). Comment interpréter ces derniers
vers? Comment l'épouvante peut-elle être associée à l'ennui?

Où comme des remords se traînent de longs vers
10　Qui s'acharnent toujours sur mes morts les plus chers.
Je suis un vieux boudoir plein de roses fanées,
Où gît tout un fouillis de modes surannées,
Où les pastels plaintifs et les pâles Boucher,
Seuls, respirent l'odeur d'un flacon débouché.

15　Rien n'égale en longueur les boiteuses journées,
Quand sous les lourds flocons des neigeuses années
L'ennui, fruit de la morne incuriosité,
Prend les proportions de l'immortalité.
　　— Désormais tu n'es plus, ô matière vivante!
20　Qu'un granit entouré d'une vague épouvante,
Assoupi dans le fond d'un Sahara brumeux;
Un vieux sphinx ignoré du monde insoucieux,
Oublié sur la carte, et dont l'humeur farouche
Ne chante qu'aux rayons du soleil qui se couche [1].

77. SPLEEN

Je suis comme le roi d'un pays pluvieux,
Riche, mais impuissant, jeune et pourtant très vieux,
Qui, de ses précepteurs méprisant les courbettes,
S'ennuie avec ses chiens comme avec d'autres bêtes.
5　Rien ne peut l'égayer, ni gibier, ni faucon,
Ni son peuple mourant en face du balcon.
Du bouffon favori la grotesque ballade
Ne distrait plus le front de ce cruel malade;
Son lit fleurdelisé se transforme en tombeau,
10　Et les dames d'atour, pour qui tout prince est beau,
Ne savent plus trouver d'impudique toilette
Pour tirer un souris [2] de ce jeune squelette.
Le savant qui lui fait de l'or n'a jamais pu
De son être extirper l'élément corrompu,
15　Et dans ces bains de sang qui des Romains nous viennent,
Et dont sur leurs vieux jours les puissants se souviennent,
Il n'a su réchauffer ce cadavre hébété
Où coule au lieu de sang l'eau verte du Léthé [3].

---

1. Allusion à la légendaire statue de Memnon qui chantait ses oracles à l'aurore. —
2. Voir p. 32, note 4. — 3. Le fleuve dont l'eau fait oublier.

78. SPLEEN

Quand le ciel bas et lourd pèse comme un couvercle
Sur l'esprit gémissant en proie aux longs ennuis,
Et que de l'horizon embrassant tout le cercle
Il nous verse un jour noir plus triste que les nuits ;

⁵ Quand la terre est changée en un cachot humide,
Où l'Espérance, comme une chauve-souris,
S'en va battant les murs de son aile timide
Et se cognant la tête à des plafonds pourris ;

Quand la pluie étalant ses immenses traînées
¹⁰ D'une vaste prison imite les barreaux,
Et qu'un peuple muet d'infâmes araignées
Vient tendre ses filets au fond de nos cerveaux,

Des cloches tout à coup sautent avec furie
Et lancent vers le ciel un affreux hurlement,
¹⁵ Ainsi que des esprits errants et sans patrie
Qui se mettent à geindre opiniâtrement.

— Et de longs corbillards, sans tambours ni musique,
Défilent lentement dans mon âme ; l'Espoir,
Vaincu, pleure, et l'Angoisse atroce, despotique,
²⁰ Sur mon crâne incliné plante son drapeau noir.

---

77. Spleen *(1857)* est une allégorie, celle de la stérilité.

78. Spleen *(1857)* évoque la dernière crise et l'échec final, le moment
où le recours aux paradis artificiels ne suffit plus à vaincre l'angoisse, où l'hallucination visuelle et auditive est plus tragique
que la réalité : c'est la grande symphonie de la défaite. Étudier :
① Les deux premiers moments de la crise (v. 1 à 12, 13 à 16).
② Le moment de la détente et de l'abandon (v. 17 à 20) : le mouvement rythmique de la strophe (rôle des coupes et des rejets), la
valeur des allégories (et les visages qu'elles donnent à la défaite),
l'image finale.
③ L'art de suggérer ce que la raison refuse par le passage de la
comparaison à la métaphore, par la fusion du physique et du moral,
par le choix de mots évocateurs et de sonorités expressives.
④ Les corrections, apportées à la 1ᵉʳᵉ éd. qui donnait au v. 4 :
Il nous *fait* un jour... ; au v. 11 : ... *d'horribles* araignées ; au
v. 17 : Et *d'anciens* corbillards ; au v. 18 : ... *et*, l'Espoir ; au v. 19 :
Pleurant comme un vaincu, l'Angoisse *despotique*,...

79. OBSESSION

Grands bois, vous m'effrayez comme des cathédrales ;
Vous hurlez comme l'orgue ; et dans nos cœurs maudits,
Chambres d'éternel deuil où vibrent de vieux râles,
Répondent les échos de vos *De profundis.*

5   Je te hais, Océan ! tes bonds et tes tumultes,
Mon esprit les retrouve en lui ; ce rire amer
De l'homme vaincu, plein de sanglots et d'insultes,
Je l'entends dans le rire énorme de la mer [1].

Comme tu me plairais, ô nuit ! sans ces étoiles
10 Dont la lumière parle un langage connu !
Car je cherche le vide, et le noir, et le nu !

Mais les ténèbres sont elles-mêmes des toiles
Où vivent, jaillissant de mon œil par milliers,
Des êtres disparus aux regards familiers.

80. LE GOÛT DU NÉANT

Morne esprit, autrefois amoureux de la lutte,
L'Espoir, dont l'éperon attisait ton ardeur,
Ne veut plus t'enfourcher ! Couche-toi sans pudeur,
Vieux cheval dont le pied à chaque obstacle butte.

5   Résigne-toi, mon cœur ; dors ton sommeil de brute.

Esprit vaincu, fourbu [2] ! Pour toi, vieux maraudeur [3],
L'amour n'a plus de goût, non plus que la dispute ;
Adieu donc, chants du cuivre et soupirs de la flûte !
Plaisirs, ne tentez plus un cœur sombre et boudeur !

10 Le Printemps adorable a perdu son odeur !

Et le Temps m'engloutit minute par minute,
Comme la neige immense un corps pris de roideur ;
Je contemple d'en haut le globe en sa rondeur

---

1. Souvenir d'Eschyle (*Prométhée enchaîné*, v. 89-90). — 2. Incapable de marcher. — 3. Soldat pillard.

Et je n'y cherche plus l'abri d'une cahute.

15 Avalanche, veux-tu m'emporter dans ta chute ?

81. ALCHIMIE DE LA DOULEUR

L'un t'éclaire avec son ardeur,
L'autre en toi met son deuil, Nature !
Ce qui dit à l'un : Sépulture !
Dit à l'autre : Vie et splendeur !

5 Hermès [1] inconnu qui m'assistes
Et qui toujours m'intimidas,
Tu me rends l'égal de Midas [2],
Le plus triste des alchimistes ;

Par toi je change l'or en fer
10 Et le paradis en enfer ;
Dans le suaire des nuages

Je découvre un cadavre cher,
Et sur les célestes rivages
Je bâtis de grands sarcophages.

---

79. Obsession *(1860)* est une tentative pour échapper à l'angoisse par un recours au néant, un néant que remplit aussitôt la vie intérieure.
Commenter cette phrase des *Fusées* : « L'inspiration vient toujours quand l'homme le veut, mais elle ne s'en va pas toujours quand il le veut. »

80. Le Goût du Néant *(1859)* est le poème de la vieillesse.
① L'évocation des derniers jours est généralement commandée par la lassitude, par l'angoisse ou par le désir de la fin. Le titre et le développement ne montrent-ils pas que Baudelaire savoure une situation dont il a peur?
② La forme est belle et singulière. Quel effet produisent les rimes, les vers détachés, les allitérations?

81. Alchimie de la Douleur *(1860)* laisse le dernier mot à l'écrivain.
① Sur quel ton le dit-il (tenir compte du mètre, des rimes triplées, du personnage de Midas...)?
② Comment définit-il son lyrisme dans les tercets?

---

1. Voir p. 22, note 1. — 2. Midas avait reçu le pouvoir de transformer en or tout ce qu'il touchait, et ne tarda pas à le regretter.

84. L'IRRÉMÉDIABLE

I

Une Idée, une Forme, un Être
Parti de l'azur et tombé
Dans un Styx [1] bourbeux et plombé
Où nul œil du Ciel ne pénètre;

5 Un Ange, imprudent voyageur
Qu'a tenté l'amour du difforme,
Au fond d'un cauchemar énorme
Se débattant comme un nageur,

Et luttant, angoisses funèbres!
10 Contre un gigantesque remous
Qui va chantant comme les fous
Et pirouettant dans les ténèbres;

Un malheureux ensorcelé
Dans ses tâtonnements futiles,
15 Pour fuir d'un lieu plein de reptiles,
Cherchant la lumière et la clé;

Un damné descendant sans lampe,
Au bord d'un gouffre dont l'odeur
Trahit l'humide profondeur,
20 D'éternels escaliers sans rampe,

Où veillent des monstres visqueux
Dont les larges yeux de phosphore
Font une nuit plus noire encore
Et ne rendent visibles qu'eux;

25 Un navire pris dans le pôle,
Comme en un piège de cristal,
Cherchant par quel détroit fatal
Il est tombé dans cette geôle;

---

1. Un des fleuves des Enfers.

Emblèmes nets, tableau parfait
30 D'une fortune irrémédiable,
Qui donne à penser que le Diable
Fait toujours bien tout ce qu'il fait !

II

Tête-à-tête sombre et limpide
Qu'un cœur devenu son miroir !
35 Puits de Vérité, clair et noir,
Où tremble une étoile livide,

Un phare ironique, infernal,
Flambeau des grâces sataniques,
Soulagement et gloire uniques,
40 — La conscience dans le Mal !

● Les dernières pièces de *Spleen et Idéal* (82-85) paraissent en être la conclusion poétique et morale. Elles disent l'orgueil du réprouvé (82-84), mais aussi sa grande hantise, celle de la « synthèse impossible de l'être et de l'existence » (85) comme l'écrit J.-P. Sartre.

82. **Horreur sympathique** *(1860)* proclame la supériorité de la liberté sur le bonheur, et le triomphe du diable. Pour le poète, les lueurs du ciel *sont le reflet De l'Enfer où (son) cœur se plaît.*

83. **L'Héautontimorouménos** *(1857)* montre la Perversité déchaînée, une perversité qui est la haine de l'homme pour lui-même avant d'être la haine dans l'amour. C'est sans doute la dernière partie d'un poème conçu en 1855 comme « un joli feu d'artifice de monstruosités, un véritable *Épilogue*, digne du *prologue* au lecteur, une réelle Conclusion. » (Lettre du 7 avril 1855.)

84. **L'Irrémédiable** *(1857)* montre le poète prisonnier de son ironie, une ironie qui est la conséquence, la seule et dernière compagne, d'une inquisition de l'homme sur lui-même. A l'intelligence, enchaînée par son triomphe, il ne reste qu'à se parer d'un dernier orgueil, celui de la *conscience dans le Mal.*

① Deux groupes d' « emblèmes » et de conclusions exposent le sujet :
— dans la première partie, on accueillera séparément les cinq visions de cauchemar (v. 1 à 28), en recevant bien la voix qui les évoque, et on étudiera l'explication que donne la dernière strophe ;
— dans la seconde partie, on verra se fondre les images et leurs traductions, moins limpides mais plus riches.

② On s'interrogera sur les rapports de la pensée et du lyrisme :
— quel rôle a, chez Baudelaire, la conscience-spectatrice ?
— comment naissent les images ?
— qu'est-ce que la métaphysique doit à la poésie ?

86. PAYSAGE

Je veux, pour composer chastement mes églogues [1],
Coucher auprès du ciel, comme les astrologues,
Et, voisin des clochers, écouter en rêvant
Leurs hymnes solennels emportés par le vent.
5　Les deux mains au menton, du haut de ma mansarde,
Je verrai l'atelier qui chante et qui bavarde;
Les tuyaux, les clochers, ces mâts de la cité,
Et les grands ciels qui font rêver d'éternité.

Il est doux, à travers les brumes, de voir naître
10　L'étoile dans l'azur, la lampe à la fenêtre,
Les fleuves de charbon monter au firmament
Et la lune verser son pâle enchantement.
Je verrai les printemps, les étés, les automnes;
Et quand viendra l'hiver aux neiges monotones,
15　Je fermerai partout portières et volets
Pour bâtir dans la nuit mes féeriques palais.
Alors je rêverai des horizons bleuâtres,
Des jardins, des jets d'eau pleurant dans les albâtres,
Des baisers, des oiseaux chantant soir et matin,
20　Et tout ce que l'Idylle [1] a de plus enfantin.
L'Émeute [2], tempêtant vainement à ma vitre,
Ne fera pas lever mon front de mon pupitre;
Car je serai plongé dans cette volupté
D'évoquer le Printemps avec ma volonté,
25　De tirer un soleil de mon cœur, et de faire
De mes pensers brûlants une tiède atmosphère.

Le groupe des Tableaux parisiens *n'existait pas dans l'édition de 1857. Des dix-huit pièces qui le composent dans l'édition de 1861, huit se trouvaient dans celle de 1857 (éparpillées dans la première section :* Spleen et Idéal), *les dix autres lui sont postérieures.*

　1. L'églogue et l'idylle sont de petits poèmes composés sur les événements de la vie champêtre (la première est dialoguée, la seconde est un tableau ou un récit). — 2. Les agitations extérieures ou intérieures.

87. LE SOLEIL

Le long du vieux faubourg, où pendent aux masures
Les persiennes, abri des secrètes luxures,
Quand le soleil cruel frappe à traits redoublés
Sur la ville et les champs, sur les toits et les blés,
5 Je vais m'exercer seul à ma fantasque [1] escrime,
Flairant dans tous les coins les hasards de la rime,
Trébuchant sur les mots comme sur les pavés,
Heurtant parfois des vers depuis longtemps rêvés.

Ce père nourricier, ennemi des chloroses [2],
10 Éveille dans les champs les vers comme les roses;
Il fait s'évaporer les soucis vers le ciel,
Et remplit les cerveaux et les ruches de miel.
C'est lui qui rajeunit les porteurs de béquilles
Et les rend gais et doux comme des jeunes filles,
15 Et commande aux moissons de croître et de mûrir
Dans le cœur immortel qui toujours veut fleurir!

Quand, ainsi qu'un poëte, il descend dans les villes,
Il ennoblit le sort des choses les plus viles,
Et s'introduit en roi, sans bruit et sans valets,
20 Dans tous les hôpitaux et dans tous les palais.

● *La ville* est pour Baudelaire ce que la nature est pour d'autres, une source délicieuse d'excitation intellectuelle et d'ivresse sensuelle. Elle l'a particulièrement inspiré entre 1858 et 1862, et c'est ce qui explique d'abord la création d'un cycle urbain en 1861.

86. Paysage *(publié le 15 novembre 1857)* est un prologue et un fragment d'art poétique. Étudier :
① Les cinq tableaux : leurs styles, le passage de l'un à l'autre, ce qu'ils nous disent des rêves de l'auteur (plutôt que de ses goûts).
② L'art moderne : la poésie de la ville; l'interprétation de la réalité; le refus du présent et l'effort pour rappeler les images (de quelles origines sont-elles?); la création (et non la découverte) des sources nouvelles; l'art intellectuel.

87. Le Soleil *(1857)* commence la série des pièces diurnes (87-94). Cette œuvre de jeunesse dit d'une façon plus traditionnelle (celle de Sainte-Beuve) le rôle transfigurateur de la poésie, et Paris devenu poète!

88. A une Mendiante rousse *(1857)* chante une petite musicienne des rues.

1. Sujette à des fantaisies, extraordinaire. — 2. Sorte d'anémie.

89. LE CYGNE

I

Andromaque [1], je pense à vous! Ce petit fleuve,
Pauvre et triste miroir où jadis resplendit
L'immense majesté de vos douleurs de veuve,
Ce Simoïs [1] menteur qui par vos pleurs grandit,

5   A fécondé soudain ma mémoire fertile,
Comme je traversais le nouveau Carrousel.
Le vieux Paris n'est plus (la forme d'une ville
Change plus vite, hélas! que le cœur d'un mortel);

Je ne vois qu'en esprit tout ce camp de baraques,
10 Ces tas de chapiteaux ébauchés et de fûts,
Les herbes, les gros blocs verdis par l'eau des flaques,
Et, brillant aux carreaux, le bric-à-brac confus.

Là s'étalait jadis une ménagerie;
Là je vis, un matin, à l'heure où sous les cieux
15 Froids et clairs le Travail s'éveille, où la voirie [2]
Pousse un sombre ouragan dans l'air silencieux,

Un cygne qui s'était évadé de sa cage,
Et, de ses pieds palmés frottant le pavé sec,
Sur le sol raboteux traînait son blanc plumage.
20 Près d'un ruisseau sans eau la bête ouvrant le bec

Baignait nerveusement ses ailes dans la poudre [3],
Et disait, le cœur plein de son beau lac natal :
« Eau, quand donc pleuvras-tu? quand tonneras-tu, foudre? »
Je vois ce malheureux, mythe étrange et fatal,

25 Vers le ciel quelquefois, comme l'homme [4] d'Ovide,
Vers le ciel ironique et cruellement bleu,
Sur son cou convulsif tendant sa tête avide,
Comme s'il adressait des reproches à Dieu!

---

1. Veuve d'Hector, prisonnière de Pyrrhus et donnée par lui à Hélénus, Andromaque exilée rêvait à son pays près d'une rivière qui lui rappelait le Simoïs, fleuve de la Troade (voir *Énéide*, III). — 2. Les balayeurs. — 3. La poussière. — 4. Qui seul a un visage pour regarder le ciel, selon le poète latin Ovide.

II

Paris change! mais rien dans ma mélancolie
30 N'a bougé! palais neufs, échafaudages, blocs,
Vieux faubourgs, tout pour moi devient allégorie,
Et mes chers souvenirs sont plus lourds que des rocs.

Aussi devant ce Louvre une image m'opprime :
Je pense à mon grand cygne, avec ses gestes fous,
35 Comme les exilés, ridicule et sublime,
Et rongé d'un désir sans trêve! et puis à vous,

Andromaque, des bras d'un grand époux tombée,
Vil bétail, sous la main du superbe Pyrrhus,
Auprès d'un tombeau vide [1] en extase courbée;
40 Veuve d'Hector, hélas! et femme d'Hélénus!

Je pense à la négresse, amaigrie et phtisique,
Piétinant dans la boue, et cherchant, l'œil hagard,
Les cocotiers absents de la superbe Afrique
Derrière la muraille immense du brouillard;

45 A quiconque a perdu ce qui ne se retrouve
Jamais, jamais! à ceux qui s'abreuvent de pleurs
Et tettent la Douleur comme une bonne louve [2]!
Aux maigres orphelins séchant comme des fleurs!

Ainsi dans la forêt où mon esprit s'exile
50 Un vieux Souvenir sonne à plein souffle du cor!
Je pense aux matelots oubliés dans une île,
Aux captifs, aux vaincus!... à bien d'autres encor!

---

89. Le Cygne *(1860)*, dédié à V. Hugo, offre « un jeu presque complet de thèmes baudelairiens ». Traversant le Louvre de Napoléon III, le poète pense aux chantiers longtemps abandonnés où brocanteurs et forains étaient installés. Dans ce Paris trop neuf où il ne se reconnaît plus, il fait vivre ses fantômes.
① Quatre motifs s'enlacent : Paris, le Cygne, Andromaque, les exilés. Comment naissent-ils et se développent-ils?
② Comment le présent, transformé par le passé, est-il absorbé par le souvenir?
③ Que penser des dissonances (inspiration, tableaux, vers)?

---

1. Le cénotaphe élevé à la mémoire d'Hector auprès du *Simoïs menteur*. — 2. Romulus et Rémus, fondateurs de Rome, avaient été nourris par une louve.

91. LES PETITES VIEILLES

A VICTOR HUGO

I

Dans les plis sinueux des vieilles capitales,
Où tout, même l'horreur, tourne aux enchantements,
Je guette, obéissant à mes humeurs fatales,
Des êtres singuliers, décrépits et charmants.

5 Ces monstres disloqués furent jadis des femmes,
Éponine [1] ou Laïs [2]! Monstres brisés, bossus
Ou tordus, aimons-les! ce sont encor des âmes.
Sous des jupons troués et sous de froids tissus

Ils rampent, flagellés par les bises iniques,
10 Frémissant au fracas roulant des omnibus,
Et serrant sur leur flanc, ainsi que des reliques,
Un petit sac brodé de fleurs ou de rébus [3];

Ils trottent, tout pareils à des marionnettes;
Se traînent, comme font les animaux blessés,
15 Ou dansent, sans vouloir danser, pauvres sonnettes
Où se pend un Démon sans pitié! Tout cassés

Qu'ils sont, ils ont des yeux perçants comme une vrille,
Luisants comme ces trous où l'eau dort dans la nuit;
Ils ont les yeux divins de la petite fille
20 Qui s'étonne et qui rit à tout ce qui reluit.

— Avez-vous observé que maints cercueils de vieilles
Sont presque aussi petits que celui d'un enfant?
La Mort savante met dans ces bières pareilles
Un symbole d'un goût bizarre et captivant,

---

1. La femme du chef gaulois Sabinus qui s'était révolté contre les Romains et
avait été vaincu. Elle l'accompagna dans toutes ses épreuves et jusque dans la mort. —
2. Une courtisane grecque du IVe siècle. — 3. « Le ridicule, ou réticule, a été souvent
orné de rébus d'une nature galante, comme le prouvent les vieilles gravures de Modes »
(Baudelaire).

25 Et lorsque j'entrevois un fantôme débile
   Traversant de Paris le fourmillant tableau,
   Il me semble toujours que cet être fragile
   S'en va tout doucement vers un nouveau berceau;

   A moins que, méditant sur la géométrie,
30 Je ne cherche, à l'aspect de ces membres discords [1],
   Combien de fois il faut que l'ouvrier varie
   La forme de la boîte où l'on met tous ces corps.

   — Ces yeux sont des puits faits d'un million de larmes,
   Des creusets qu'un métal refroidi pailleta...
35 Ces yeux mystérieux ont d'invincibles charmes
   Pour celui que l'austère Infortune allaita !

                          II

   De Frascati [2] défunt Vestale [3] enamourée;
   Prêtresse de Thalie [4], hélas! dont le souffleur
   Enterré sait le nom; célèbre évaporée
40 Que Tivoli jadis ombragea dans sa fleur,

   Toutes m'enivrent; mais parmi ces êtres frêles
   Il en est qui, faisant de la douleur un miel,
   Ont dit au Dévouement qui leur prêtait ses ailes :
   Hippogriffe [5] puissant, mène-moi jusqu'au ciel !

45 L'une, par sa patrie au malheur exercée,
   L'autre, que son époux surchargea de douleurs,
   L'autre, par son enfant Madone transpercée,
   Toutes auraient pu faire un fleuve avec leurs pleurs !

                          III

   Ah! que j'en ai suivi de ces petites vieilles!
50 Une, entre autres, à l'heure où le soleil tombant
   Ensanglante le ciel de blessures vermeilles,
   Pensive, s'asseyait à l'écart sur un banc,

---

1. Mal accordés. — 2. Frascati et Tivoli : lieux de plaisir célèbres dans le Paris du
XIXᵉ siècle. Le premier avait disparu en 1837. — 3. Prêtresse chargée d'entretenir
le feu sacré (ici : le souvenir). — 4. Muse de la comédie. — 5. Cheval ailé.

Pour entendre un de ces concerts, riches de cuivre,
Dont les soldats parfois inondent nos jardins,
55 Et qui, dans ces soirs d'or où l'on se sent revivre,
Versent quelque héroïsme au cœur des citadins.

Celle-là, droite encor, fière et sentant la règle,
Humait avidement ce chant vif et guerrier;
Son œil parfois s'ouvrait comme l'œil d'un vieil aigle;
60 Son front de marbre avait l'air fait pour le laurier!

IV

Telles vous cheminez, stoïques et sans plaintes,
A travers le chaos des vivantes cités,
Mères au cœur saignant, courtisanes ou saintes,
Dont autrefois les noms par tous étaient cités.

65 Vous qui fûtes la grâce ou qui fûtes la gloire,
Nul ne vous reconnaît! un ivrogne incivil
Vous insulte en passant d'un amour dérisoire;
Sur vos talons gambade un enfant lâche et vil.

Honteuses d'exister, ombres ratatinées,
70 Peureuses, le dos bas, vous côtoyez les murs;
Et nul ne vous salue, étranges destinées!
Débris d'humanité pour l'éternité mûrs!

Mais moi, moi qui de loin tendrement vous surveille,
L'œil inquiet, fixé sur vos pas incertains,
75 Tout comme si j'étais votre père, ô merveille!
Je goûte à votre insu des plaisirs clandestins :

Je vois s'épanouir vos passions novices;
Sombres ou lumineux, je vis vos jours perdus;
Mon cœur multiplié jouit de tous vos vices!
80 Mon âme resplendit de toutes vos vertus!

Ruines! ma famille! ô cerveaux congénères!
Je vous fais chaque soir un solennel adieu!
Où serez-vous demain, Èves octogénaires,
Sur qui pèse la griffe effroyable de Dieu?

92 LES AVEUGLES

Contemple-les, mon âme; ils sont vraiment affreux!
Pareils aux mannequins; vaguement ridicules;
Terribles, singuliers comme les somnambules;
Dardant on ne sait où leurs globes ténébreux.

5 Leurs yeux, d'où la divine étincelle est partie,
Comme s'ils regardaient au loin, restent levés
Au ciel; on ne les voit jamais vers les pavés
Pencher rêveusement leur tête appesantie.

Ils traversent ainsi le noir illimité,
10 Ce frère du silence éternel. O cité!
Pendant qu'autour de nous tu chantes, ris et beugles,

Éprise du plaisir jusqu'à l'atrocité,
Vois! je me traîne aussi! mais, plus qu'eux hébété,
Je dis : Que cherchent-ils au Ciel, tous ces aveugles?

---

91. Les Petites Vieilles *(1859)* sont au centre d'un groupe des marionnettes **(90-92)**. Auprès de ces êtres qui sont humains parce que
rien ne peut les satisfaire, Baudelaire cherche une paix fraternelle.
① Étudier la correspondance initiale entre le poète, la ville, les
vieilles; l'ordonnance du développement; le contraste entre les
ridicules et la sympathie.
② Apprécier l'art du portrait dans la troisième partie.

92. Les Aveugles *(1860)* sont les hommes qui vivent dans une nuit
atroce (noire), celle de l'esprit ou celle du corps, exilés, incapables
de rejoindre le pays natal, éternellement solitaires.
① Relever les mots qui disent la nuit et l'hébétude. Ne s'appli-
quent-ils pas à la cité et à l'âme aussi bien qu'aux aveugles? Comparer de même les descriptions de mouvements.
② Étudier le rythme dans le premier quatrain (qui évoque les
personnages de *La Parabole des Aveugles* de Brueghel l'Ancien),
puis dans la suite de la pièce.
③ Comment entendre l'idée du ridicule de la cécité (voir *le Cygne*,
v. 35)? Que penser de la comparaison de l'aveugle et du penseur?
du dernier vers?
④ « Peu de poèmes sont aussi célèbres que ceux qu'il a ainsi consacrés à la ville, aux vieillards des deux sexes, aux déshérités. Ces
poèmes rassurent sans doute ceux que peut repousser l'atroce
sondage dans le gouffre du mal auquel les convie ailleurs Baudelaire. Ils ont en eux plus de moyenne humanité » a écrit Henri
Peyre. Expliquer et discuter.

93. A UNE PASSANTE

La rue assourdissante autour de moi hurlait.
Longue, mince, en grand deuil, douleur majestueuse,
Une femme passa, d'une main fastueuse
Soulevant, balançant le feston et l'ourlet;

⁵ Agile et noble, avec sa jambe de statue.
Moi, je buvais, crispé comme un extravagant,
Dans son œil, ciel livide où germe l'ouragan,
La douceur qui fascine et le plaisir qui tue.

Un éclair... puis la nuit! — Fugitive beauté
¹⁰ Dont le regard m'a fait soudainement renaître,
Ne te verrai-je plus que dans l'éternité?

Ailleurs, bien loin d'ici! trop tard! *jamais* peut-être!
Car j'ignore où tu fuis, tu ne sais où je vais,
O toi que j'eusse aimée, ô toi qui le savais!

94. LE SQUELETTE LABOUREUR

I

Dans les planches d'anatomie
Qui traînent sur ces quais poudreux
Où maint livre cadavéreux
Dort comme une antique momie,

⁵ Dessins auxquels la gravité
Et le savoir d'un vieil artiste,
Bien que le sujet en soit triste,
Ont communiqué la Beauté,

On voit, ce qui rend plus complètes
¹⁰ Ces mystérieuses horreurs,
Bêchant comme des laboureurs,
Des Écorchés et des Squelettes.

II

De ce terrain que vous fouillez,
Manants résignés et funèbres,
15　De tout l'effort de vos vertèbres,
Ou de vos muscles dépouillés,

Dites, quelle moisson étrange,
Forçats arrachés au charnier,
Tirez-vous, et de quel fermier
20　Avez-vous à remplir la grange ?

Voulez-vous (d'un destin trop dur
Épouvantable et clair emblème!)
Montrer que dans la fosse même
Le sommeil promis n'est pas sûr ;

25　Qu'envers nous le Néant est traître ;
Que tout, même la Mort, nous ment,
Et que sempiternellement,
Hélas! il nous faudra peut-être

Dans quelque pays inconnu
30　Écorcher la terre revêche
Et pousser une lourde bêche
Sous notre pied sanglant et nu ?

● Après deux images minces et lumineuses **(87-88)**, Paris, la ville familière et étrangère, nous a offert les spectacles du deuil **(89** et **91)**, reposants, rassurants pour l'esprit qui y trouve tout proche l'au-delà de la vie. Mais bientôt les démons sont revenus **(90)**. Autour d'eux, Paris hurle de leurs cris, cependant que tout s'assourdit et s'obscurcit dans l'âme à qui l'espoir même est refusé **(92-94)**.

93. A une Passante *(1860)* reprend *Les Sept Vieillards* : la beauté divine est croisée et perdue dans la rue comme l'avait été la laideur diabolique, l'une et l'autre douloureusement attirantes.
　① Le thème est romanesque. Montrer qu'il est élargi par le ton (étudier par exemple les mots placés à la rime); par les tableaux (quel est leur style ?); par le développement final.
　② Qu'est-ce que la psychologie dramatique apporte au lyrisme ?
　③ Quels sont les caractères de la Beauté ? Comparer son image à celle de la Douleur (p. 112).
94. Le Squelette laboureur *(1860)* lie plus étroitement encore la Beauté et l'horreur, une horreur que la Mort ne peut vaincre.

« Fourmillante cité, cité pleine de rêves ! »
« Paris », eau-forte de Méryon.

95. LE CRÉPUSCULE DU SOIR

Voici le soir charmant, ami du criminel;
Il vient comme un complice, à pas de loup; le ciel
Se ferme lentement comme une grande alcôve,
Et l'homme impatient se change en bête fauve.

5   O soir, aimable soir, désiré par celui
Dont les bras, sans mentir, peuvent dire : Aujourd'hui
Nous avons travaillé! — C'est le soir qui soulage
Les esprits que dévore une douleur sauvage,
Le savant obstiné dont le front s'alourdit,
10 Et l'ouvrier courbé qui regagne son lit.

Cependant des démons malsains dans l'atmosphère
S'éveillent lourdement, comme des gens d'affaire,
Et cognent en volant les volets et l'auvent.
A travers les lueurs que tourmente le vent
15 La Prostitution [1] s'allume dans les rues;
Comme une fourmilière elle ouvre ses issues;
Partout elle se fraye un occulte chemin,
Ainsi que l'ennemi qui tente un coup de main;
Elle remue au sein de la cité de fange
20 Comme un ver qui dérobe à l'Homme ce qu'il mange.
On entend çà et là les cuisines siffler,
Les théâtres glapir, les orchestres ronfler;
Les tables d'hôte, dont le jeu fait les délices,
S'emplissent de catins et d'escrocs, leurs complices,
25 Et les voleurs, qui n'ont ni trêve ni merci,
Vont bientôt commencer leur travail, eux aussi,
Et forcer doucement les portes et les caisses
Pour vivre quelques jours et vêtir leurs maîtresses.

Recueille-toi, mon âme, en ce grave moment,
30 Et ferme ton oreille à ce rugissement.
C'est l'heure où les douleurs des malades s'aigrissent!
La sombre Nuit les prend à la gorge; ils finissent
Leur destinée et vont vers le gouffre commun;
L'hôpital se remplit de leurs soupirs. — Plus d'un

---

1. C'est le Paris nocturne dont les lumières s'allument et qui propose (prostitue, au sens étymologique) ses plaisirs à toutes les convoitises (voir les vers 21 à 24).

35 Ne viendra plus chercher la soupe parfumée,
    Au coin du feu, le soir, auprès d'une âme aimée.

    Encore la plupart n'ont-ils jamais connu
    La douceur du foyer et n'ont jamais vécu!

96. LE JEU

    Dans des fauteuils fanés des courtisanes vieilles,
    Pâles, le sourcil peint, l'œil câlin et fatal,
    Minaudant, et faisant de leurs maigres oreilles
    Tomber un cliquetis de pierre et de métal;

5   Autour des verts tapis des visages sans lèvre,
    Des lèvres sans couleur, des mâchoires sans dent,
    Et des doigts convulsés d'une infernale fièvre,
    Fouillant la poche vide ou le sein palpitant;

    Sous de sales plafonds un rang de pâles lustres
10 Et d'énormes quinquets projetant leurs lueurs
    Sur des fronts ténébreux de poëtes illustres
    Qui viennent gaspiller leurs sanglantes sueurs;

    Voilà le noir tableau qu'en un rêve nocturne
    Je vis se dérouler sous mon œil clairvoyant.
15 Moi-même, dans un coin de l'antre taciturne,
    Je me vis accoudé, froid, muet, enviant,

    Enviant de ces gens la passion tenace,
    De ces vieilles putains la funèbre gaieté,
    Et tous gaillardement trafiquant à ma face,
20 L'un de son vieil honneur, l'autre de sa beauté!

    Et mon cœur s'effraya d'envier maint pauvre homme
    Courant avec ferveur à l'abîme béant,
    Et qui, soûl de son sang, préférerait en somme
    La douleur à la mort et l'enfer au néant!

---

95. Le Crépuscule du Soir *(1852)* commence la série nocturne des
   Tableaux parisiens.
96. Le Jeu *(1857)* évoque le monde désuet des estampes de Vernet.

98. L'AMOUR DU MENSONGE

Quand je te vois passer, ô ma chère indolente,
Au chant des instruments qui se brise au plafond
Suspendant ton allure harmonieuse et lente,
Et promenant l'ennui de ton regard profond;

5 Quand je contemple, aux feux du gaz qui le colore,
Ton front pâle, embelli par un morbide attrait,
Où les torches du soir allument une aurore,
Et tes yeux attirants comme ceux d'un portrait,

Je me dis : Qu'elle est belle! et bizarrement fraîche!
10 Le souvenir massif, royale et lourde tour,
La couronne, et son cœur, meurtri comme une pêche,
Est mûr, comme son corps, pour le savant amour.

Es-tu le fruit d'automne aux saveurs souveraines?
Es-tu vase funèbre attendant quelques pleurs,
15 Parfum qui fait rêver aux oasis lointaines,
Oreiller caressant, ou corbeille de fleurs?

Je sais qu'il est des yeux, des plus mélancoliques,
Qui ne recèlent point de secrets précieux;
Beaux écrins sans joyaux, médaillons sans reliques,
20 Plus vides, plus profonds que vous-mêmes, ô Cieux!

Mais ne suffit-il pas que tu sois l'apparence,
Pour réjouir un cœur qui fuit la vérité?
Qu'importe ta bêtise ou ton indifférence?
Masque ou décor, salut! J'adore ta beauté.

---

98. L'Amour du Mensonge *(1860)* évoque, dans l'enfer du soir, un
fantôme amical, celui de Marie Daubrun. Grâce à elle et aux
lumières menteuses de la scène, le poète va pouvoir retrouver son
univers, celui de l'utopie et de la poésie.
① Deux images de l'actrice se succèdent (v. 1 à 4, 5 à 8). En quoi
la seconde diffère-t-elle de la première? par le mouvement? par le
style du peintre? par la signification?
② Comment se forme la métaphore de la couronne (strophe 3)?
Comment l'interpréter?
③ Le poète s'interroge sur le sens de son amour. Quelles réponses
obtient-il? Étudier particulièrement les plus obscures (v. 13 à 16).

99

Je n'ai pas oublié, voisine de la ville,
Notre blanche maison [1], petite mais tranquille;
Sa Pomone [2] de plâtre et sa vieille Vénus
Dans un bosquet chétif cachant leurs membres nus,
5 Et le soleil, le soir, ruisselant et superbe,
Qui, derrière la vitre où se brisait sa gerbe,
Semblait, grand œil ouvert dans le ciel curieux,
Contempler nos dîners longs et silencieux,
Répandant largement ses beaux reflets de cierge
10 Sur la nappe frugale et les rideaux de serge.

100

La servante au grand cœur dont vous étiez jalouse,
Et qui dort son sommeil sous une humble pelouse,
Nous devrions pourtant lui porter quelques fleurs.
Les morts, les pauvres morts, ont de grandes douleurs,
5 Et quand Octobre souffle, émondeur des vieux arbres,
Son vent mélancolique à l'entour de leurs marbres,
Certe [3], ils doivent trouver les vivants bien ingrats,
A dormir, comme ils font, chaudement dans leurs draps,
Tandis que, dévorés de noires songeries,
10 Sans compagnon de lit, sans bonnes causeries,
Vieux squelettes gelés travaillés par le ver,
Ils sentent s'égoutter les neiges de l'hiver
Et le siècle couler, sans qu'amis ni famille
Remplacent les lambeaux qui pendent à leur grille.

15 Lorsque la bûche siffle et chante, si le soir,
Calme, dans le fauteuil je la voyais s'asseoir,
Si, par une nuit bleue et froide de décembre,
Je la trouvais tapie en un coin de ma chambre,
Grave, et venant du fond de son lit éternel
20 Couver l'enfant grandi de son œil maternel,
Que pourrais-je répondre à cette âme pieuse,
Voyant tomber des pleurs de sa paupière creuse ?

---

1. Voir p. 4. Elle a été vendue par le poète en 1843. — 2. Déesse des jardins. —
3. Licence poétique.

101. BRUMES ET PLUIES

O fins d'automne, hivers, printemps trempés de boue,
Endormeuses saisons ! je vous aime et vous loue
D'envelopper ainsi mon cœur et mon cerveau
D'un linceul vaporeux et d'un vague tombeau.

5 Dans cette grande plaine où l'autan [1] froid se joue,
Où par les longues nuits la girouette s'enroue,
Mon âme mieux qu'au temps du tiède renouveau
Ouvrira largement ses ailes de corbeau.

Rien n'est plus doux au cœur plein de choses funèbres,
10 Et sur qui dès longtemps descendent les frimas,
O blafardes saisons, reines de nos climats,

Que l'aspect permanent de vos pâles ténèbres,
— Si ce n'est, par un soir sans lune, deux à deux,
D'endormir la douleur sur un lit hasardeux.

● Aux tableaux des plaisirs du soir : le jeu, le bal, le théâtre **(96-98)**, succèdent ceux de la rêverie, nouvelles variations sur les thèmes du mensonge et de la recherche poétique d'une autre cité.

99 et 100 *ont été publiés en 1857 et composés sans doute avant 1844.* Dans une lettre du 11 janvier 1858, Baudelaire attire l'attention de sa mère sur ces pièces qui font allusion « à des détails intimes de (leur) ancienne vie, de cette époque de veuvage qui (lui) a laissé de singuliers et tristes souvenirs ». (Voir p. 4.)
① Le poète évoque le passé avec beaucoup de discrétion. Comment expliquer pourtant le symbole du soleil éclairant la maison du silence et de l'absence (99)? l'association du remords et du souvenir (100)? Quelle place Mme Aupick occupe-t-elle dans sa mémoire?
② Le poème **100** a un sujet banal, « bête et touchant » (Valéry). Mais il éveille en nous les résonances les plus fortes :
— le thème est profondément humain, d'une tendresse vraie, qui unit l'amour et la peur, et finalement tragique (v. 15 à 22);
— l'écriture est habile, passant du prosaïsme au lyrisme, de la douceur à la frénésie, dans une composition par double encadrement autour des vers 7 et 8.

101. Brumes et Pluies *(1857)* nous donne une version nouvelle des grands appels lyriques à la nature, à l'amour et à la mort, dont les thèmes, les expressions, les symboles habituels sont ici retournés.

---

1. Vent violent.

102. RÊVE PARISIEN

A CONSTANTIN GUYS [1]

I

De ce terrible paysage,
Tel que jamais mortel n'en vit,
Ce matin encore l'image,
Vague et lointaine, me ravit.

5 Le sommeil est plein de miracles!
Par un caprice singulier,
J'avais banni de ces spectacles
Le végétal irrégulier,

Et, peintre fier de mon génie,
10 Je savourais dans mon tableau
L'enivrante monotonie
Du métal, du marbre et de l'eau.

Babel [2] d'escaliers et d'arcades,
C'était un palais infini,
15 Plein de bassins et de cascades
Tombant dans l'or mat ou bruni [3];

Et des cataractes pesantes,
Comme des rideaux de cristal,
Se suspendaient, éblouissantes,
20 A des murailles de métal.

Non d'arbres, mais de colonnades
Les étangs dormants s'entouraient,
Où de gigantesques naïades [4],
Comme des femmes, se miraient.

25 Des nappes d'eau s'épanchaient, bleues,
Entre des quais roses et verts,
Pendant des millions de lieues,
Vers les confins de l'univers;

---

1. Sur Constantin Guys (1805-1892), voir p. 13. — 2. Une ville, comparée à la tour édifiée par les fils de Noé. — 3. Poli. — 4. Divinités des eaux.

C'étaient des pierres inouïes
30 Et des flots magiques; c'étaient
D'immenses glaces éblouies
Par tout ce qu'elles reflétaient!

Insouciants et taciturnes,
Des Ganges, dans le firmament,
35 Versaient le trésor de leurs urnes
Dans des gouffres de diamant.

Architecte de mes féeries,
Je faisais, à ma volonté,
Sous un tunnel de pierreries
40 Passer un océan dompté;

Et tout, même la couleur noire,
Semblait fourbi, clair, irisé;
Le liquide enchâssait sa gloire [1]
Dans le rayon cristallisé.

45 Nul astre d'ailleurs, nuls [2] vestiges
De soleil, même au bas du ciel,
Pour illuminer ces prodiges,
Qui brillaient d'un feu personnel!

---

102. Rêve parisien *(1860)* nous mène plus loin que les rêveries, à un
moment où, l'ordre et les contraintes humaines abolis par le sommeil, une réalité nouvelle peut prendre vie, voulue, mais intuitive-
ment rejointe, plus vraie, plus complète que l'autre.
① Le rêve trouve ses éléments dans la chambre (v. 5, 18, 31, etc.)
et dans la ville. Mais il les décompose (est-il important que le son
soit séparé de l'image?), et les réorganise en perspectives infinies
dont l'eau est toujours le motif principal.
② Le monde qu'il crée est tout moderne, s'imposant à la nature,
logique et inhumain, utilisant les matériaux (verre, métal) selon
leurs propres lois, lumineux et artificiel. N'est-ce pas là un « terrible
paysage » ?
③ Baudelaire fait ainsi paraître sa haine de ce qui est (une haine
que l'on comprendra mieux en comparant la seconde partie au
poème cité p. 94), mais aussi l'idéal esthétique d'un art essentiellement créateur, « surnaturaliste ».

---

1. En peinture, on parle de *gloire* pour désigner un assemblage de rayons lumineux au centre desquels peut apparaître une représentation de la divinité. — 2. Accord
exceptionnel.

Et sur ces mouvantes merveilles
50 Planait (terrible nouveauté!
Tout pour l'œil, rien pour les oreilles!)
Un silence d'éternité.

II

En rouvrant mes yeux pleins de flamme
J'ai vu l'horreur de mon taudis,
55 Et senti, rentrant dans mon âme,
La pointe des soucis maudits;

La pendule aux accents funèbres
Sonnait brutalement midi,
Et le ciel versait des ténèbres
60 Sur le triste monde engourdi.

ANY WHERE OUT OF THE WORLD
N'IMPORTE OÙ HORS DU MONDE
(*Petits Poèmes en prose*, 48.)

« [...] Dis-moi, mon âme, pauvre âme refroidie, que
penserais-tu d'habiter Lisbonne? Il doit y faire chaud, et
tu t'y ragaillardirais comme un lézard. Cette ville est au
bord de l'eau; on dit qu'elle est bâtie en marbre, et que le
5   peuple y a une telle haine du végétal, qu'il arrache tous
les arbres. Voilà un paysage selon ton goût; un paysage
fait avec la lumière et le minéral, et le liquide pour les
réfléchir! »

« [...] Allons plus loin encore [...] encore plus loin de la
10 vie, si c'est possible; installons-nous au pôle. Là le soleil
ne frise qu'obliquement la terre, et les lentes alternatives
de la lumière et de la nuit suppriment la variété et aug-
mentent la monotonie, cette moitié du néant. Là, nous
pourrons prendre de longs bains de ténèbres, cependant
15 que, pour nous divertir, les aurores boréales nous enver-
ront de temps en temps leurs gerbes roses, comme des
reflets d'un feu d'artifice de l'Enfer! »

Enfin, mon âme fait explosion, et sagement elle me
crie : « N'importe où! N'importe où! pourvu que ce soit
20 hors de ce monde! »

LE VIN

104. L'ÂME DU VIN

Un soir, l'âme du vin chantait dans les bouteilles :
« Homme, vers toi je pousse, ô cher déshérité,
Sous ma prison de verre et mes cires vermeilles,
Un chant plein de lumière et de fraternité!

5 Je sais combien il faut, sur la colline en flamme,
De peine, de sueur et de soleil cuisant
Pour engendrer ma vie et pour me donner l'âme;
Mais je ne serai point ingrat ni malfaisant,

Car j'éprouve une joie immense quand je tombe
10 Dans le gosier d'un homme usé par ses travaux,
Et sa chaude poitrine est une douce tombe
Où je me plais bien mieux que dans mes froids caveaux.

Entends-tu retentir les refrains des dimanches
Et l'espoir qui gazouille en mon sein palpitant?
15 Les coudes sur la table et retroussant tes manches,
Tu me glorifieras et tu seras content;

J'allumerai les yeux de ta femme ravie;
A ton fils je rendrai sa force et ses couleurs
Et serai pour ce frêle athlète de la vie
20 L'huile qui raffermit les muscles des lutteurs.

En toi je tomberai, végétale ambroisie,
Grain précieux jeté par l'éternel Semeur,
Pour que de notre amour naisse la poésie
Qui jaillira vers Dieu comme une rare fleur! »

● **Le Vin** propose à l'homme et au poète les secours de l'ivresse. Dans
l'édition de 1857, il s'offrait après l'échec de la *Révolte* (III), avant
la *Mort* (V), comme l'ultime refuge terrestre. En 1861, pour le pro-
meneur des *Tableaux parisiens* (II) qui va partir à la recherche des
Fleurs du Mal (IV), il n'est plus que le compagnon d'une brève
halte.

108. LE VIN DES AMANTS

Aujourd'hui l'espace est splendide!
Sans mors, sans éperons, sans bride,
Partons à cheval sur le vin
Pour un ciel féerique et divin!

5   Comme deux anges que torture
Une implacable calenture [1],
Dans le bleu cristal du matin
Suivons le mirage lointain!

Mollement balancés sur l'aile
10   Du tourbillon [2] intelligent,
Dans un délire parallèle,

Ma sœur, côte à côte nageant,
Nous fuirons sans repos ni trêves
Vers le paradis de mes rêves!

---

107. Le Vin du Solitaire *(1857)* compare différents plaisirs à ceux du vin qui nous donne

... l'espoir, la jeunesse et la vie,
— Et l'orgueil, ce trésor de toute gueuserie,
Qui nous rend triomphants et semblables aux Dieux!

108. Le Vin des Amants *(1857)* clôt le chapitre du vin sur un bel envol, une fuite un instant réussie vers le monde de la beauté et de la tendresse.
① On étudiera la traduction rythmique de l'enthousiasme dans la première, puis dans la seconde strophe. On comparera le mouvement des tercets.
② On cherchera dans les images la transcription des mystères de la poésie : la fièvre de l'inspiration, le rôle créateur du hasard et celui de l'esprit, la liaison entre la violence et la beauté, l'idéal inaccessible.
③ On complètera l'étude par l'examen de cette phrase de Baudelaire :
« L'ivresse de l'art est plus apte que toute autre à voiler les terreurs du gouffre. » (*Petits Poèmes en prose*, 27.)

---

1. Espèce de délire furieux auquel les navigateurs sont sujets dans la zone torride.
— 2. Dans la philosophie cartésienne, c'est le mouvement d'une planète, d'un astre, ou de la matière environnante.

109. LA DESTRUCTION

Sans cesse à mes côtés s'agite le Démon;
Il nage autour de moi comme un air impalpable;
Je l'avale et le sens qui brûle mon poumon
Et l'emplit d'un désir éternel et coupable.

5 Parfois il prend, sachant mon grand amour de l'Art,
La forme de la plus séduisante des femmes,
Et, sous de spécieux prétextes de cafard,
Accoutume ma lèvre à des philtres infâmes.

Il me conduit ainsi, loin du regard de Dieu,
10 Haletant et brisé de fatigue, au milieu
Des plaines de l'Ennui, profondes et désertes,

Et jette dans mes yeux pleins de confusion
Des vêtements souillés, des blessures ouvertes,
Et l'appareil sanglant de la Destruction!

112. LES DEUX BONNES SŒURS

La Débauche et la Mort sont deux aimables filles,
Prodigues de baisers et riches de santé,
Dont le flanc toujours vierge et drapé de guenilles
Sous l'éternel labeur n'a jamais enfanté.

5 Au poëte sinistre, ennemi des familles,
Favori de l'enfer, courtisan mal renté,
Tombeaux et lupanars montrent sous leurs charmilles
Un lit que le remords n'a jamais fréquenté.

Et la bière et l'alcôve en blasphèmes fécondes
10 Nous offrent tour à tour, comme deux bonnes sœurs,
De terribles plaisirs et d'affreuses douceurs.

Quand veux-tu m'enterrer, Débauche aux bras immondes ?
O Mort, quand viendras-tu, sa rivale en attraits,
Sur ses myrtes infects enter tes noirs cyprès [1] ?

113. LA FONTAINE DE SANG

Il me semble parfois que mon sang coule à flots,
Ainsi qu'une fontaine aux rythmiques sanglots.
Je l'entends bien qui coule avec un long murmure,
Mais je me tâte en vain pour trouver la blessure.

5   A travers la cité, comme dans un champ clos,
Il s'en va, transformant les pavés en îlots,
Désaltérant la soif de chaque créature,
Et partout colorant en rouge la nature.

J'ai demandé souvent à des vins captieux [2]
10 D'endormir pour un jour la terreur qui me mine ;
Le vin rend l'œil plus clair et l'oreille plus fine !

J'ai cherché dans l'amour un sommeil oublieux ;
Mais l'amour n'est pour moi qu'un matelas d'aiguilles
Fait pour donner à boire à ces cruelles filles !

● Le chapitre des *Fleurs du Mal* était d'abord formé de douze
poèmes, « les douze apôtres du diable » (Thibaudet). Trois ont été
condamnés. Ceux qui restent ferment « le cercle du vice, du vice
clairvoyant, du vice désespéré, du vice puni ».

109. La Destruction *(1855)* est le poème de la solitude et de la tenta-
tion.
① L'homme, qui a été brûlé par les désirs (v. 1 à 8), se retrouve
seul, épuisé et honteux (v. 9 à 14).
② C'est sans doute une confession, dite d'une voix âpre et conte-
nue, avec des images inquiétantes, mais c'est aussi un fragment
d'art poétique, d'un art où le Beau est lié à l'Amour et au Démon,
la Passion à la Mort, etc...

110. Une Martyre est un très beau tableau, plein d'amour et de haine.

111. Femmes damnées présente l'enfer des « chercheuses d'infini ».

112. Les Deux Bonnes Sœurs, et **113. La Fontaine de Sang** *(1857)*
disent l'échec des passions dont il ne reste que la terreur.

---

1. Le myrte est l'arbuste de l'amour et le cyprès l'arbre de la mort. — 2. Qui
tendent à surprendre ou à tromper.

116. UN VOYAGE A CYTHÈRE

Mon cœur, comme un oiseau, voltigeait tout joyeux
Et planait librement à l'entour des cordages;
Le navire roulait sous un ciel sans nuages,
Comme un ange enivré d'un soleil radieux.

5   Quelle est cette île triste et noire? — C'est Cythère [1],
Nous dit-on, un pays fameux dans les chansons,
Eldorado [2] banal de tous les vieux garçons.
Regardez, après tout, c'est une pauvre terre.

— Ile des doux secrets et des fêtes du cœur!
10 De l'antique Vénus le superbe fantôme
Au-dessus de tes mers plane comme un arome,
Et charge les esprits d'amour et de langueur.

Belle île aux myrtes [3] verts, pleine de fleurs écloses,
Vénérée à jamais par toute nation,
15 Où les soupirs des cœurs en adoration
Roulent comme l'encens sur un jardin de roses

Ou le roucoulement éternel d'un ramier!
— Cythère n'était plus qu'un terrain des plus maigres,
Un désert rocailleux troublé par des cris aigres.
20 J'entrevoyais pourtant un objet singulier [4]!

---

116. Un Voyage à Cythère *(1855)* est « la forme la plus audacieuse et
la plus forte qu'un grand poète ait donnée à une confession » (Thibaudet).
① Le sujet peut paraître banal : la vérité, longtemps refusée (v. 1 à
24), s'impose à l'homme (v. 25 à 40) et efface le bonheur (v. 41 à 60).
② Mais il vit de la vigueur des images et de leurs contrastes. On
comparera (par ex.) celle du navire et celle du gibet (présentation,
exécution, interprétation psychologique et religieuse, valeur mystique).
③ Et il nous mène au cœur de l'univers baudelairien (dont on
reconnaîtra les images dans les dernières strophes), et peut-être
aussi à ses secrets les mieux cachés.

---

1. L'île de Vénus (située au N.-O. de la Crète). — 2. Le pays de l'or. — 3. Voir
p. 98, note 1. — 4. Rappel de l'anecdote qui est à l'origine du poème : approchant
de Cythère, Nerval aperçut d'abord un gibet.

Ce n'était pas un temple aux ombres bocagères,
Où la jeune prêtresse, amoureuse des fleurs,
Allait, le corps brûlé de secrètes chaleurs,
Entre-bâillant sa robe aux brises passagères;

25 Mais voilà qu'en rasant la côte d'assez près
Pour troubler les oiseaux avec nos voiles blanches,
Nous vîmes que c'était un gibet à trois branches,
Du ciel se détachant en noir, comme un cyprès.

De féroces oiseaux perchés sur leur pâture
30 Détruisaient avec rage un pendu déjà mûr,
Chacun plantant, comme un outil, son bec impur
Dans tous les coins saignants de cette pourriture; [...]

Sous les pieds, un troupeau de jaloux quadrupèdes,
Le museau relevé, tournoyait et rôdait;
Une plus grande bête au milieu s'agitait
40 Comme un exécuteur entouré de ses aides.

Habitant de Cythère, enfant d'un ciel si beau,
Silencieusement tu souffrais ces insultes
En expiation de tes infâmes cultes
Et des péchés qui t'ont interdit le tombeau.

45 Ridicule pendu, tes douleurs sont les miennes!
Je sentis, à l'aspect de tes membres flottants,
Comme un vomissement, remonter vers mes dents
Le long fleuve de fiel des douleurs anciennes;

Devant toi, pauvre diable au souvenir si cher,
50 J'ai senti tous les becs et toutes les mâchoires
Des corbeaux lancinants et des panthères noires
Qui jadis aimaient tant à triturer ma chair.

— Le ciel était charmant, la mer était unie;
Pour moi tout était noir et sanglant désormais,
55 Hélas! et j'avais, comme en un suaire épais,
Le cœur enseveli dans cette allégorie.

Dans ton île, ô Vénus! je n'ai trouvé debout
Qu'un gibet symbolique où pendait mon image...
— Ah! Seigneur! donnez-moi la force et le courage
60 De contempler mon cœur et mon corps sans dégoût!

117. L'AMOUR ET LE CRÂNE

VIEUX CUL-DE-LAMPE

L'Amour est assis sur le crâne
De l'Humanité,
Et sur ce trône le profane,
Au rire effronté,

5 Souffle gaiement des bulles rondes
Qui montent dans l'air,
Comme pour rejoindre les mondes
Au fond de l'éther.

Le globe lumineux et frêle
10 Prend un grand essor,
Crève et crache son âme grêle
Comme un songe d'or.

J'entends le crâne à chaque bulle
Prier et gémir :
15 — « Ce jeu féroce et ridicule,
Quand doit-il finir ?

Car ce que ta bouche cruelle
Éparpille en l'air,
Monstre assassin, c'est ma cervelle,
20 Mon sang et ma chair! »

---

117. **L'Amour et le Crâne** *(1855)* interprète une vieille gravure (un cul-de-lampe) dont Baudelaire fait l'illustration de son échec.
① L'apologue a un premier sens : l'intelligence est tuée par le plaisir. N'en a-t-il pas d'autres? Que sont les bulles que souffle l'Amour? L'Art n'est-il pas un jeu féroce? Quel est le rôle de l'Amour?

RÉVOLTE

118. LE RENIEMENT DE SAINT PIERRE

Qu'est-ce que Dieu fait donc de ce flot d'anathèmes
Qui monte tous les jours vers ses chers Séraphins [1] ?
Comme un tyran gorgé de viande et de vins,
Il s'endort au doux bruit de nos affreux blasphèmes.

5   Les sanglots des martyrs et des suppliciés
Sont une symphonie enivrante sans doute,
Puisque, malgré le sang que leur volupté coûte,
Les cieux ne s'en sont point encore rassasiés !

— Ah ! Jésus [2], souviens-toi du Jardin des Olives !
10 Dans ta simplicité tu priais à genoux
Celui qui dans son ciel riait au bruit des clous
Que d'ignobles bourreaux plantaient dans tes chairs vives,

Lorsque tu vis cracher sur ta divinité
La crapule du corps de garde et des cuisines,
15 Et lorsque tu sentis s'enfoncer les épines
Dans ton crâne où vivait l'immense Humanité ;

Quand de ton corps brisé la pesanteur horrible
Allongeait tes deux bras distendus, que ton sang
Et ta sueur coulaient de ton front pâlissant,
20 Quand tu fus devant tous posé comme une cible,

Rêvais-tu de ces jours si brillants et si beaux
Où tu vins pour remplir l'éternelle promesse,
Où tu foulais, monté sur une douce ânesse,
Des chemins tout jonchés de fleurs et de rameaux,

1. Voir p. 27, note 2. — 2. Quelques épisodes de la dernière semaine de sa vie sont rappelés ici : son entrée à Jérusalem (21-24), l'agonie au jardin des Oliviers (9-10), les insultes des gardes (13-14), la couronne d'épines (15-16), la crucifixion (11-12), les dernières heures (17-20).

25 Où, le cœur tout gonflé d'espoir et de vaillance,
    Tu fouettais tous ces vils marchands [1] à tour de bras,
    Où tu fus maître enfin ? Le remords n'a-t-il pas
    Pénétré dans ton flanc plus avant que la lance ?

    — Certes, je sortirai, quant à moi, satisfait
30 D'un monde où l'action n'est pas la sœur du rêve;
    Puissé-je user du glaive et périr par le glaive [2]!
    Saint Pierre a renié Jésus [3]... il a bien fait!

● **La Révolte (118-120)** naît de l'échec, au moment où il paraît ne
rester, humainement, aucune espérance de le corriger. Elle est une
mise en accusation de Dieu, d'un Dieu qui est le Père, mais aussi le
tyran gorgé, savourant les plaintes de ses enfants. Faut-il y voir
l'analyse du Mal sous sa forme la plus grave, la dépravation de
l'esprit ? Le refus de l'âge adulte et de ses responsabilités ? La réac-
tion du croyant déçu ? Un effort de destruction de l'ordre établi
que doit remplacer un nouvel ordre, mystique et poétique ?

● **Un avertissement.** Au début du chapitre, dans l'édition de 1857, on
lisait ces lignes : *Parmi les morceaux suivants, le plus caractérisé [4] a
déjà paru dans un des principaux recueils littéraires de Paris, où il n'a
été considéré, du moins par les gens d'esprit, que pour ce qu'il est véri-
tablement : le pastiche des raisonnements de l'ignorance et de la fureur.
Fidèle à son douloureux programme, l'auteur des Fleurs du Mal a dû,
en parfait comédien, façonner son esprit à tous les sophismes comme à
toutes les corruptions. Cette déclaration candide n'empêchera pas sans
doute les critiques honnêtes de le ranger parmi les théologiens de la
populace [...]. Plus d'un adressera sans doute au ciel les actions de
grâce habituelles du Pharisien : « Merci, mon Dieu, qui n'avez pas
permis que je fusse semblable à ce poëte infâme. »*
① Expliquer et discuter la remarque que fait M. Ruff à propos de
cette note : « Il convient sans doute d'y voir une simplification, plutôt qu'une contrefaçon de la vérité. »

118. Le Reniement de saint Pierre *(publié en 1852)* est le premier
mouvement de la révolte, le blasphème.
① Noter les caractères oratoires du morceau. Étudier les allitérations de la strophe 4, le rythme de la strophe 8, le dernier vers.
② Jésus y apparaît comme Dieu et comme victime, détaché du
Père et des hommes. Pourquoi? Ne ressemble-t-il pas au poète?
Quelle conception Baudelaire se fait-il du salut?
③ Mme Aupick déclarait le poème « carrément impie ». M. Le Dan-
tec écrit au contraire : « l'ardeur de la prière perce sous l'indignation,
laquelle s'adresse bien plus à l'homme qui n'a pas compris le sacrifice qu'au Christ lui-même. » Expliquer et discuter.

---

1. Jésus a chassé les marchands du Temple. — 2. Un disciple avait voulu protéger
le Christ qui le lui défendit et lui rappela que celui qui use de l'épée périra par l'épée.
— 3. Pierre renia trois fois son maître et s'en repentit. — 4. *Le Reniement de saint Pierre.*

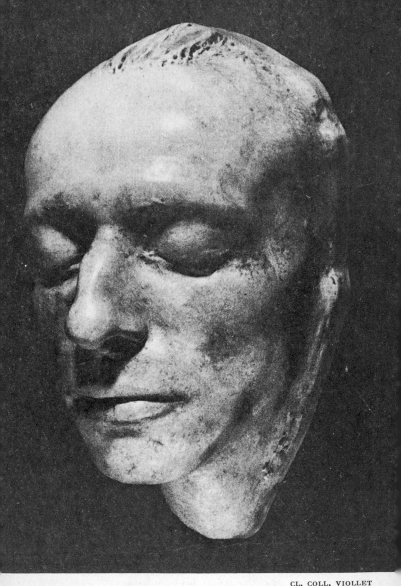

Masque mortuaire de Baudelaire

LA MORT

121. LA MORT DES AMANTS

Nous aurons des lits pleins d'odeurs légères,
Des divans profonds comme des tombeaux,
Et d'étranges fleurs sur des étagères,
Écloses pour nous sous des cieux plus beaux.

5 Usant à l'envi leurs chaleurs dernières,
Nos deux cœurs seront deux vastes flambeaux,
Qui réfléchiront leurs doubles lumières
Dans nos deux esprits, ces miroirs jumeaux.

Un soir fait de rose et de bleu mystique,
10 Nous échangerons un éclair unique,
Comme un long sanglot, tout chargé d'adieux;

Et plus tard un Ange, entr'ouvrant les portes,
Viendra ranimer, fidèle et joyeux,
Les miroirs ternis et les flammes mortes.

● **La mort** est au bout de la longue route, non comme le but, mais
comme l'auberge dont les vitres sont illuminées d'une lumière mystérieuse, dont on rêve toujours et dont on ignore pourtant ce que
sera l'accueil. Car « tout est néant, excepté la mort », et le néant de
la tombe, s'il ne trahit pas l'homme, peut être la terre inconnue,
celle de toutes les promesses.

121. **La Mort des Amants** *(1851)* est le duo de ceux qui sont éternellement unis dans « un pays qui (leur) ressemble » et qui s'émerveil-
lent de découvrir leur immortalité, comme le faisaient vingt siècles
plus tôt les fidèles de la Mère des Dieux, déesse de la fécondité,
maîtresse des éclairs et de la foudre.
① Étudier l'enlacement des thèmes de l'amour et de la mort.
② L'idéalisation : comment la réalité est-elle effacée ? Comment
renaît-elle dans les symboles (dont il faut accueillir les suggestions
multiples : ainsi le miroir peut figurer les yeux et l'amour, être le
reflet de la « pure lumière » (voir p. 27), présenter au poète sa propre
image...) ?
③ Étude du décasyllabe.

126. LE VOYAGE

A MAXIME DU CAMP [1]

I

Pour l'enfant, amoureux de cartes et d'estampes,
L'univers est égal à son vaste appétit.
Ah! que le monde est grand à la clarté des lampes!
Aux yeux du souvenir que le monde est petit!

5 Un matin nous partons, le cerveau plein de flamme,
Le cœur gros de rancune et de désirs amers,
Et nous allons, suivant le rythme de la lame,
Berçant notre infini sur le fini des mers :

Les uns, joyeux de fuir une patrie infâme;
10 D'autres, l'horreur de leurs berceaux, et quelques-uns,
Astrologues noyés dans les yeux d'une femme [2],
La Circé [3] tyrannique aux dangereux parfums.

Pour n'être pas changés en bêtes, ils s'enivrent
D'espace et de lumière et de cieux embrasés;
15 La glace qui les mord, les soleils qui les cuivrent,
Effacent lentement la marque des baisers.

Mais les vrais voyageurs sont ceux-là seuls qui partent
Pour partir; cœurs légers, semblables aux ballons,
De leur fatalité jamais ils ne s'écartent,
20 Et, sans savoir pourquoi, disent toujours : Allons!

Ceux-là dont les désirs ont la forme des nues,
Et qui rêvent, ainsi qu'un conscrit le canon,
De vastes voluptés, changeantes, inconnues,
Et dont l'esprit humain n'a jamais su le nom!

---

1. Maxime du Camp (1822-1894), poète, romancier, mémorialiste, est un des notables de la littérature du second Empire. Riche, influent, il est de ceux à qui Baudelaire a des obligations et peut en avoir encore. — 2. Les yeux sont les étoiles de l'amour, et l'amant est l'astrologue qui s'y noie comme celui de La Fontaine dans le puits. — 3. La magicienne qui changea en animaux les compagnons d'Ulysse, autre grand voyageur.

II

²⁵ Nous imitons, horreur! la toupie et la boule
Dans leur valse et leurs bonds; même dans nos sommeils
La Curiosité nous tourmente et nous roule,
Comme un Ange cruel qui fouette [1] des soleils.

Singulière fortune où le but se déplace,
³⁰ Et, n'étant nulle part, peut être n'importe où!
Où l'Homme, dont jamais l'espérance n'est lasse,
Pour trouver le repos court toujours comme un fou!

Notre âme est un trois-mâts cherchant son Icarie [2];
Une voix retentit sur le pont : « Ouvre l'œil! »
³⁵ Une voix de la hune, ardente et folle, crie :
« Amour... gloire... bonheur! » Enfer! c'est un écueil!

Chaque îlot signalé par l'homme de vigie
Est un Eldorado [3] promis par le Destin;
L'Imagination qui dresse son orgie
⁴⁰ Ne trouve qu'un récif aux clartés du matin.

O le pauvre amoureux des pays chimériques!
Faut-il le mettre aux fers, le jeter à la mer,
Ce matelot ivrogne, inventeur d'Amériques
Dont le mirage rend le gouffre plus amer ?

⁴⁵ Tel le vieux vagabond, piétinant dans la boue,
Rêve, le nez en l'air, de brillants paradis;
Son œil ensorcelé découvre une Capoue [4]
Partout où la chandelle illumine un taudis.

---

126. Le Voyage, *terminé à Honfleur au début de 1859 et publié aussitôt,*
fait passer une dernière fois sous nos yeux les grandes images de
l'univers baudelairien.
I. **La vie** est un voyage : espoir et déception (v. 1-4)! L'homme part,
s'abandonnant à sa nature et au monde (v. 5-8), pour chercher
l'oubli vulgaire (v. 9-16), ou pour être fidèle à son destin (v. 17-24).
II. **Le but** fuit devant lui. Étudier les deux tableaux de la « Curiosité », séparés par une méditation qui en explique le sens.

---

1. Les enfants font tourner certaines toupies avec un fouet. — 2. Cabet (1788-1856)
avait fondé aux États-Unis une société communautaire, l'Icarie, qui s'était dispersée
en 1856. — 3. Voir p. 99, note 2. — 4. Ville d'Italie aux « délices » proverbiales.

III

Étonnants voyageurs! quelles nobles histoires
50 Nous lisons dans vos yeux profonds comme les mers!
Montrez-nous les écrins de vos riches mémoires,
Ces bijoux merveilleux, faits d'astres et d'éthers [1].

Nous voulons voyager sans vapeur et sans voile!
Faites, pour égayer l'ennui de nos prisons,
55 Passer sur nos esprits, tendus comme une toile,
Vos souvenirs avec leurs cadres d'horizons.

Dites, qu'avez-vous vu ?

IV

« Nous avons vu des astres
Et des flots; nous avons vu des sables aussi;
Et, malgré bien des chocs et d'imprévus désastres,
60 Nous nous sommes souvent ennuyés, comme ici.

La gloire du soleil sur la mer violette,
La gloire [2] des cités dans le soleil couchant,
Allumaient dans nos cœurs une ardeur inquiète
De plonger dans un ciel au reflet alléchant.

65 Les plus riches cités, les plus grands paysages,
Jamais ne contenaient l'attrait mystérieux
De ceux que le hasard fait avec les nuages.
Et toujours le désir nous rendait soucieux!

— La jouissance ajoute au désir de la force.
70 Désir, vieil arbre à qui le plaisir sert d'engrais,
Cependant que grossit et durcit ton écorce,
Tes branches veulent voir le soleil de plus près!

Grandiras-tu toujours, grand arbre plus vivace
Que le cyprès ? — Pourtant nous avons, avec soin,
75 Cueilli quelques croquis pour votre album vorace,
Frères qui trouvez beau tout ce qui vient de loin!

---

1. Voir p. 28, note 3. — 2. Voir p. 93, note 1.

Nous avons salué des idoles à trompe;
Des trônes constellés de joyaux lumineux;
Des palais ouvragés dont la féerique pompe
80 Serait pour vos banquiers un rêve ruineux;

Des costumes qui sont pour les yeux une ivresse;
Des femmes dont les dents et les ongles sont teints,
Et des jongleurs savants que le serpent caresse. »

V

Et puis, et puis encore?

VI

« O cerveaux enfantins!

85 Pour ne pas oublier la chose capitale,
Nous avons vu partout, et sans l'avoir cherché,
Du haut jusques en bas de l'échelle fatale,
Le spectacle ennuyeux de l'immortel péché :

La femme, esclave vile, orgueilleuse et stupide,
90 Sans rire s'adorant et s'aimant sans dégoût;
L'homme, tyran goulu, paillard, dur et cupide,
Esclave de l'esclave et ruisseau dans l'égout;

Le bourreau qui jouit, le martyr qui sanglote;
La fête qu'assaisonne et parfume le sang;
95 Le poison du pouvoir énervant le despote,
Et le peuple amoureux du fouet abrutissant;

Plusieurs religions semblables à la nôtre,
Toutes escaladant le ciel; la Sainteté,
Comme en un lit de plume un délicat se vautre,
100 Dans les clous et le crin cherchant la volupté;

● III-VI. **Le voyage** est une pénétration de l'âme par le monde (III).
L'enfant, devenu grand et prisonnier du spleen, demande au récit
ce que lui donnaient les images :
IV. La distraction (qui décuple le désir, alors que les plus beaux
spectacles ne font pas oublier l'inquiétude).
VI. L'explication de l'homme (qui vit dans le mal : amour, pouvoir
ou religion, ou se réfugie dans le délire : révolte ou drogue).

L'Humanité bavarde, ivre de son génie,
Et, folle maintenant comme elle était jadis,
Criant à Dieu, dans sa furibonde agonie :
« O mon semblable, ô mon maître, je te maudis ! »

105 Et les moins sots, hardis amants de la Démence,
Fuyant le grand troupeau parqué par le Destin,
Et se réfugiant dans l'opium immense !
— Tel est du globe entier l'éternel bulletin. »

VII

Amer savoir, celui qu'on tire du voyage !
110 Le monde, monotone et petit, aujourd'hui,
Hier, demain, toujours, nous fait voir notre image :
Une oasis d'horreur dans un désert d'ennui !

Faut-il partir ? rester ? Si tu peux rester, reste ;
Pars, s'il le faut. L'un court, et l'autre se tapit
115 Pour tromper l'ennemi vigilant et funeste,
Le Temps ! Il est, hélas ! des coureurs sans répit,

Comme le Juif errant [1] et comme les apôtres,
A qui rien ne suffit, ni wagon ni vaisseau,
Pour fuir ce rétiaire [2] infâme ; il en est d'autres
120 Qui savent le tuer sans quitter leur berceau.

Lorsque enfin il mettra le pied sur notre échine,
Nous pourrons espérer et crier : En avant !
De même qu'autrefois nous partions pour la Chine,
Les yeux fixés au large et les cheveux au vent,

125 Nous nous embarquerons sur la mer des Ténèbres
Avec le cœur joyeux d'un jeune passager.
Entendez-vous ces voix, charmantes et funèbres,
Qui chantent : « Par ici ! vous qui voulez manger

Le Lotus [3] parfumé ! c'est ici qu'on vendange
130 Les fruits miraculeux dont votre cœur a faim ;

---

1. Qui devait parcourir le monde parce qu'il avait insulté Jésus. — 2. Certains gladiateurs avaient des filets (rets) pour paralyser leurs adversaires. — 3. Le fruit que l'on mange au pays des Lotophages et qui fait oublier la patrie (*Odyssée*, IX.)

Venez vous enivrer de la douceur étrange
De cette après-midi qui n'a jamais de fin ? »

A l'accent familier nous devinons le spectre ;
Nos Pylades [1] là-bas tendent leurs bras vers nous.
135 « Pour rafraîchir ton cœur nage vers ton Électre [2] ! »
Dit celle dont jadis nous baisions les genoux.

VIII

O Mort, vieux capitaine, il est temps ! levons l'ancre !
Ce pays nous ennuie, ô Mort ! Appareillons !
Si le ciel et la mer sont noirs comme de l'encre,
140 Nos cœurs que tu connais sont remplis de rayons !

Verse-nous ton poison pour qu'il nous réconforte !
Nous voulons, tant ce feu nous brûle le cerveau,
Plonger au fond du gouffre, Enfer ou Ciel, qu'importe ?
Au fond de l'Inconnu pour trouver du *nouveau !*

● VII. Or l'âme ressemble au monde qui ne peut rien lui offrir
(v. 109-112). Son maître est le **Temps** à qui elle veut échapper par
le départ ou par le rêve (v. 113-120). Il finit par la prendre dans ses
filets, mais cette fin annonce un recommencement (v. 121-136).
VIII. **La mort** est donc l'expérience suprême.
① Est-elle différente des autres ? Comparer les vers 141-144 à
la troisième strophe du *Poison* (p. 57). Relire les poèmes **84** et **108**.
② L'étude de l'expression (style, rythme, sonorités) conduit-elle à
corriger les impressions précédentes ?
③ Le monde inconnu est évoqué comme un négatif du monde terrestre : le poison est un réconfort, la lumière est dans le voyageur
et non devant lui, etc... Que paraît en attendre le poète ? L'accès à
un bonheur éternel ? L'approfondissement de sa pensée et de son
art ?
La conclusion. En 1860, Baudelaire travaillait à un épilogue qui est
resté à l'état d'ébauche, et qui aurait donné aux *Fleurs du Mal* une
fin différente. En voici les derniers vers :
   « O vous, soyez témoins que j'ai fait mon devoir
   « Comme un parfait chimiste et comme une âme sainte...
   « Car j'ai de chaque chose extrait la quintessence...
   « Tu [3] m'as donné ta boue et j'en ai fait de l'or. »

---

1. Nos amis. — 2. Celle qui t'aime. Dans la légende grecque des Atrides, Pylade
est le meilleur ami d'Oreste dont Électre est la sœur. Baudelaire s'est parfois comparé
à Oreste, fils d'une mère remariée (après avoir fait disparaître son premier époux !),
et il a comparé Jeanne Duval à Électre. — 3. Le poète s'adresse à Paris.

PIÈCES AJOUTÉES

143. RECUEILLEMENT

Sois sage, ô ma Douleur, et tiens-toi plus tranquille.
Tu réclamais le Soir; il descend; le voici :
Une atmosphère obscure enveloppe la ville,
Aux uns portant la paix, aux autres le souci.

5   Pendant que des mortels la multitude vile,
Sous le fouet du Plaisir, ce bourreau sans merci,
Va cueillir des remords dans la fête servile,
Ma Douleur, donne-moi la main; viens par ici,

Loin d'eux. Vois se pencher les défuntes Années,
10 Sur les balcons du ciel, en robes surannées;
Surgir du fond des eaux le Regret souriant;

Le Soleil moribond s'endormir sous une arche,
Et, comme un long linceul traînant à l'Orient,
Entends, ma chère, entends la douce Nuit qui marche.

● **Les pièces ajoutées** par les éditeurs de 1868 sont au nombre de
vingt-cinq. Trois d'entre elles, parues avant l'édition de 1861, n'y
avaient pas été incluses. Onze, dont les trois précédentes, avaient
été recueillies dans *Les Épaves* (1866). Treize avaient été données
à divers périodiques entre 1861 et 1866. Une était inédite.

143. Recueillement *(novembre 1861)* est le troisième et le plus beau
des *Crépuscule du Soir* (p. 87). C'est l'œuvre d'un homme vieilli,
qui se ferme au monde et ne vit plus que de la vie des images, évoquées du plus profond de lui-même.
   ① Elle est d'un art savant. On y étudiera les emprunts à la tradition classique (antithèses, allégories...), le mélange des tons (distin-
guant les vers « recueillis » de ceux qui parlent de la foule), l'approfondissement du thème romantique de la douleur.
   ② Mais elle vaut surtout par la « magie » des tercets. On verra comment le paysage intérieur s'extériorise en un tableau aux figures
floues, flottant dans un paysage urbain vague et profond. On éprou-
vera la poignante douceur de cette paix des heures dernières.

Le titre C'est en 1855, au café Lemblin, à la fin d'une « longue dissertation », que Baudelaire retint pour son livre le titre de *Fleurs du Mal*. Il le devait à un journaliste de ses amis, Hippolyte Babou, qui eut, ce soir-là, un éclair de génie. On a blâmé ce choix, attribué à un souci de grosse publicité, et il est probable en effet que le désir de surprendre n'a pas été absent de la discussion. On n'y sentait point le parfum de la vertu et de la poésie que cherchait Vigny, dont on cite volontiers la lettre du 27 janvier 1862 : « ...j'ai besoin de vous dire combien de ces *Fleurs du Mal* sont pour moi des Fleurs du Bien et me charment; combien aussi je vous trouve injuste envers ce bouquet, souvent si délicieusement parfumé de printanières odeurs, pour lui avoir donné ce titre indigne de lui. »

Personne, certes, ne regrette le titre de 1845, *Les Lesbiennes*, qu'on tient pour une provocation gratuite. Mais plusieurs, Thibaudet notamment, ont jugé fâcheux l'abandon de celui de 1848, *Les Limbes*. Dans la théologie populaire, « les limbes seraient une sorte de quatrième état de la topographie d'outre-monde, ni le paradis, ni le purgatoire, ni l'enfer, un lieu sans joie ni peine, réservé aux enfants morts sans baptême, aux païens infidèles, aux hérétiques de bonne foi et de bonne vie ». Le titre aurait donc situé Baudelaire entre Dieu et Satan. Il aurait permis de mieux apercevoir l'ordre du poème, celui d'un voyage, d'un quatrième voyage « après les trois voyages dantesques de *L'Enfer*, du *Purgatoire* et du *Paradis* ». Il aurait en somme « mieux marqué le caractère catholique du poème ». On observera pourtant, avec M. Ruff, que le nom de limbes s'employait alors volontiers en un sens figuré et correspondait à des sensations d'anxiété maladive, de névrose et de spleen. Son emploi aurait donc souligné un des aspects de l'œuvre, il ne l'aurait pas désignée dans sa totalité ni dans l'essentiel.

Celui de *Fleurs du Mal* « dit tout », écrivait Baudelaire à sa mère le 9 juillet 1857 : il est, comme le livre, « revêtu d'une beauté sinistre et froide ». Il dit tout, mais à la façon de l'auteur, riche en possibilités et en équivoques. Une « fleur » (le mot revient souvent dans la correspondance) est une poésie, comme une anthologie est un bouquet. Mais une « fleur du mal », est-ce ce qui naît du mal, ou dans le mal, tout différent de lui et propre à en inspirer l'horreur ? Est-ce le mal par excellence, ou son apparence séduisante ?... Ces ambiguïtés, inhérentes aux conceptions morales, métaphysiques et esthétiques dont le titre est né, obligent à sonder les profondeurs du sujet. Elles le suggèrent. La notice de Théophile Gautier pour l'édition de 1868 le disait justement : « *Les Fleurs du Mal* étaient un de ces titres heureux plus difficiles à trouver qu'on ne pense. Il résumait sous une forme brève et poétique l'idée générale du livre et en indiquait les tendances. »

La littérature du mal   « Des poètes illustres s'étaient partagé depuis longtemps les provinces les plus fleuries du domaine poétique. Il m'a paru plaisant, et d'autant plus agréable que la tâche était plus difficile, d'extraire la *beauté* du *Mal* » lit-on dans un des projets de *Préface*. C'est le « petit moyen de défense » suggéré par Sainte-Beuve lors du procès de 1857, et c'est le propos attribué à Crébillon : « Corneille avait pris le ciel, Racine la terre, il ne me restait que l'enfer : je m'y suis jeté à corps perdu ». En vérité, la littérature du mal est bien antérieure à Baudelaire (et même à Crébillon). Le Molière du *Dom Juan*, Milton, l'abbé Prévost, Marivaux, Richardson, Laclos, Rétif, Sade, Schiller, Byron et bien d'autres avant lui ont pris le chemin des enfers. Et si nos grands romantiques, à les en croire, avaient de belles âmes, Sainte-Beuve et les Jeune-France ont écrit des œuvres morbides ou sataniques.

Ce développement d'un art noir suppose un déplacement des frontières entre le bien et le mal, et une vue pessimiste de la condition de l'homme : « Dans tous les temps il avait cru, les paupières ployant sous les résédas de la modestie, qu'il n'était composé que de bien et d'une quantité minime de mal », dit Lautréamont dans *Les Chants de Maldoror* (1869). « Brusquement, je lui ai appris, en découvrant en plein jour son cœur et ses trames, qu'au contraire, il n'est composé que de mal et d'une quantité de bien minime que les législateurs ont de la peine à ne pas laisser évaporer. » Un tel art légitime toutes les tendances naturelles et rejette le joug de l'opinion comme les illusions sentimentales ou morales. Il nous séduit par ses couleurs sombres et riches, par la force de la révolte et par son ton de supériorité désabusée comme par son appel à nos impulsions les plus secrètes.

Baudelaire, à son tour, a senti l'inquiétude et l'effroi, le mystère des choses et le tremblement du monde. S'il est original, c'est pour les avoir analysés avec plus d'acuité et pour en avoir tiré une conception nouvelle de l'Art. Lui aussi s'est pris comme sujet, mais il ne s'est pas accepté : il a tendu vers le bas au prix d'un combat exténuant. « Il y a dans l'homme, à toute heure, a-t-il écrit, deux postulations simultanées, l'une vers Dieu, l'autre vers Satan. » Cela signifie que plus on plonge, plus il faut peser pour vaincre l'appel vers le haut, car Dieu, créateur d'un monde mauvais, est à la fois en bas et en haut, le coupable initial et le rédempteur : le besoin de la destruction et l'exigence de la pureté se réunissent dans un même appel. Il n'a pas éprouvé ce mal comme une singularité déplorable (et dont on est secrètement fier), mais comme le mal du monde, l'impuissance des hommes à atteindre le bon et le bien qu'ils aperçoivent devant eux, le désespoir essentiel de leur condition. Il l'a dit sobrement, sans amplification, et il a pourtant conservé à sa plainte toute sa force déchirante,

>   ..... imprudent voyageur
> Qu'a tenté l'amour du difforme,
> Au fond d'un cauchemar énorme
> Se débattant comme un nageur !

Le mal et la morale   Quand on voit le moi de l'écrivain participer aussi intimement au mal, on est enclin à juger l'homme mauvais et le livre pervers. C'est une attitude contre laquelle Baudelaire a protesté avec force : elle confond l'œuvre avec son sujet, le poète avec son personnage. Comme l'écrivait Théophile Gautier dans la *Préface* de *Mademoiselle de Maupin* : « Il est aussi absurde de dire qu'un homme est ivrogne parce qu'il décrit une orgie [...] que de prétendre qu'un homme est vertueux parce qu'il a fait un livre de morale. [...] C'est le personnage qui parle et non l'auteur. » Mais une telle défense a quelque chose d'hypocrite et reste équivoque, de même que l'affirmation, souvent répétée à cette époque, de l'indifférence de l'artiste pour le bien : « vous savez, lit-on dans une lettre à Madame Aupick, que je n'ai jamais considéré la littérature et les arts que comme poursuivant un but étranger à la morale, et que la beauté de conception et de style me suffit. » Car il y a, pour Baudelaire, un lien étroit entre l'éthique et l'esthétique, et des *Fleurs du Mal* se dégage vraiment « une terrible moralité ».

S'il rejette « la confusion hérétique du bien avec le beau », s'il répète que « la Poésie [...] n'a pas d'autre but qu'Elle-même » et proteste contre les moralistes, cela veut seulement dire que « la poésie ne peut pas, sous peine de mort ou de défaillance, s'assimiler à la science ou à la morale » et qu' « elle n'a pas la Vérité pour objet ». Mais il croit à la force conjointe du vrai et du bon : « je défie qu'on me trouve un seul ouvrage d'imagination qui réunisse toutes les conditions du beau et qui soit un ouvrage pernicieux » dit-il en 1851; et aussi : « A mesure que l'homme avance dans la vie [...] la beauté ne sera plus que la promesse du bonheur; c'est Stendhal, je crois, qui a dit cela. La beauté sera la forme qui garantit le plus de bonté, de fidélité au serment, de loyauté dans l'exécution du contrat, de finesse dans l'intelligence des rapports. La laideur sera cruauté, avarice, sottise, mensonge. La plupart des jeunes gens ignorent ces choses, et ils ne les apprennent qu'à leurs dépens. »

Ces rapports stendhaliens entre la morale et la beauté n'appelleraient pas nécessairement le choix du mal comme source de poésie, si la vérité de l'art pouvait ne pas être celle de l'homme, c'est-à-dire de l'auteur : Baudelaire devait cultiver ses « fleurs » en lui-même, dans sa misère intérieure comprise et enrichie. En lui, le sentiment de la beauté ne se sépare jamais de celui de la difformité (« ce qui n'est pas légèrement difforme a l'air insensible »), l'amour, du crime (« moi, je dis : la volupté unique et suprême de l'amour gît dans la certitude de faire le mal »), la douleur, du plaisir (« plaisir et douleur mêlés, amertume dont la lèvre a toujours soif! »). Le bien et le mal ont du reste le même fondement ontologique et sont tous deux nécessaires à l'art, mais le mal plus que le bien. Ainsi le mal est-il le moteur du plaisir dont le beau est la promesse. Le type accompli de la beauté est Satan, un Satan vaincu dont la défaite dit la suprématie du Bien.

La religion de Baudelaire — Nietzsche disait des Français qu'ils forment le peuple le plus religieux du monde. Ils le sont en tous cas lorsqu'ils jugent leurs grands auteurs, et peu de problèmes passionnent et divisent la critique comme celui du catholicisme de Baudelaire.

L'homme a mené une vie détestable. Nous ne pouvons sonder les intentions, mais les manifestations ne laissent guère de place au doute. Avec sa mère, il s'est montré dur et méchant. A ceux qu'il fréquentait, il a réservé plus de colère et de haine que d'amour. Il a pris de grandes libertés avec l'honnêteté entendue au sens le plus usuel comme dans ses relations féminines. La période où il semble le plus proche de la foi est aussi celle où il a le plus souvent et le plus sérieusement songé au suicide. Et si Mme Aupick nous assure que, dans ses dernières années, il avait « des sympathies religieuses », nous entendons les bonnes sœurs qui l'ont soigné à Bruxelles se plaindre d'avoir dans leur maison un tel mécréant.

Il avait reçu pourtant la forte éducation chrétienne des collèges du temps. Il en a gardé au moins le vocabulaire et l'habitude des références à la religion. Mais il en use singulièrement : la joyeuse madame Sabatier est son « Ange Gardien » et la « Madone » dont il est « idolâtre »; le dandysme est « une espèce de religion »; un livre obscène le « précipite vers les océans mystiques », etc.. Dans sa correspondance et dans ses notes s'entrecroisent les propositions les plus opposées, de la prière fervente (« donnez-moi la force de faire immédiatement mon devoir tous les jours et de devenir ainsi un héros et un saint ») au blasphème (« Dieu est un scandale, un scandale qui rapporte »). Le prêtre y est placé au premier rang, mais avec le poète et le soldat, et parce qu'il « fait croire à une foule de choses étonnantes ». Il y a des « calculs » pascaliens « en faveur de Dieu », et aussi cette phrase : « Quand même Dieu n'existerait pas, la Religion serait encore sainte et Divine. »

Quoi qu'il en soit de l'existence et des écrits intimes, faut-il voir dans Les Fleurs du Mal une œuvre « plus nettement athée que la vie ne le fut » (Flottes) ou une « Divine Comédie » (Thibaudet)? Les critiques catholiques sont-ils « bien téméraires, qui revendiquent (l'auteur) pour un des leurs » (Sartre) ou peuvent-ils à bon droit l'appeler « notre Baudelaire » (Stanislas Fumet) et le dire « en pleine lucidité et en plein sang-froid, un catholique romain » (Jean Prévost)?

La question est capitale. Selon la réponse qu'on lui donnera, on entendra différemment des expressions comme « l'Infini », « l'autre monde », « la grâce », « divin », « mystique »... « L'Ennemi » sera le diable ou le temps, la « dignité » sera la postulation vers Dieu ou la grandeur humaine, etc... La disposition des poèmes paraîtra plus ou moins importante. A la limite, on pourra en faire l'instrument d'une Apologie et, comme M. Ruff, définir par exemple le thème de la première édition comme

« l'action de Satan sur le destin et la condition terrestres
du poète, dans la perspective entrevue du salut éternel,
grâce au prix rédempteur de la souffrance, à la réversi-
bilité ou communion des saints, grâce aussi à la justice
et à la miséricorde divines. »

Il n'est pas facile de clarifier et d'apprécier une pensée
qui paraît devoir plus à Joseph de Maistre qu'aux Pères
de l'Église. Notons seulement qu'à la base il y a le péché,
avec la certitude que l'homme est né pour le mal et que
rien ne peut effacer les traces de cette origine, ni le repentir,
ni les œuvres, ni même la prière bien qu'elle fasse parfois
oublier. Dieu, qui y est naturellement présent avec ses
Anges, est placé face aux Démons, et la partie négative
de la foi est mieux traitée que la foi elle-même.

L'art moderne   Ces voix résonnent jusqu'à nous, et
leur écho traverse *Les Chants de Maldoror*,
le dadaïsme, les œuvres de Swinburne, de Mallarmé et
de Rilke, celles de Pierre-Jean Jouve et de Reverdy...
Nos contemporains qui, comme Rimbaud, reconnaissent en Baudelaire « le premier voyant, roi des poètes,
un vrai dieu », et le placent au commencement de la
littérature et de l'art modernes, adoptent une position
solide et séduisante, qui n'est pourtant pas entièrement
défendable.

Même ceux qui refusent de céder à cette manie des
sources qui irritait si fort Paul Valéry ne peuvent oublier
ce qu'il a reçu de ses prédécesseurs, et l'influence de
Chateaubriand, de Sainte-Beuve, de Théophile Gautier,
pour ne parler que des maîtres les plus proches. L'homme,
du reste, vivait le drame de l'époque romantique à laquelle
il appartenait par son âge comme par son caractère,
encore que l'esprit critique ait corrigé en lui le tempé-
rament dans un sens classique. C'est à elle qu'il a dû
la libération de l'art et la découverte de la « modernité »,
une manière de sentir, le droit de puiser aux sources
étrangères, l'habitude de la révolte, les perspectives du
« surréel ». Et l'outrance, les tendances macabres ou morbides qui ont choqué ses contemporains étaient bien
en lui, mais non pas de lui. A l'inverse, le nihilisme, la
violence, l'inhumanité du monde actuel, le rejet de
toutes les traditions n'ont pas pris naissance dans *Les
Fleurs du Mal* (qui ne les ignorent d'ailleurs pas), et peu
de nos poètes sont habités par l'angoisse comme le fut
Baudelaire.

Mais il a écrit la première grande œuvre qui fasse apparaître le lyrisme dans son état pur, dépouillé des idées claires, des sentiments traditionnels, des développements et des descriptions. Il a, comme le veut Bachelard, parlé « au seuil de l'être », façonnant sa matière pour la faire pénétrer directement en nous, élaboré un ordre exclusivement poétique, sans se laisser limiter aux apparences ou à l'immédiat, et continué l'exploration des terres inconnues, devançant Mallarmé dans « l'explication orphique de la Terre, qui est le seul devoir du poète et le jeu littéraire par excellence ». Après lui et grâce à lui, la poésie « force toutes les serrures, vous attend où vous ne la cherchiez pas » (Jacques Maritain).

L'explication qu'il a donnée de son art agit sur notre temps plus fortement encore que cet art même. Elle a fait prendre conscience du caractère éphémère de la beauté et de l'impossibilité d'un classicisme qui ne serait qu'une répétition, de la nécessité de vivre son temps et d'en être d'abord, mais non pas seulement, le témoin. Elle a acclimaté l'étrange, le dissonant et même le laid devant un public qui ne les acceptait qu'à titre de singularités et qui les considère aujourd'hui comme le sel faute duquel l'œuvre manque de goût. Elle a fait comprendre que le travail des grands auteurs avait toujours consisté, non à copier la nature, mais à s'insurger contre elle, à la détruire et à la rebâtir selon leurs canons.

Baudelaire n'est peut-être pas le plus grand poète français, mais il est celui que la littérature comparée met au premier plan : « Avec Baudelaire, la poésie française sort enfin des frontières de la nation. Elle se fait lire dans le monde ; elle s'impose comme la poésie même de la modernité » (Paul Valéry).

La langue et le vers   Un des caractères les plus nets de cet art moderne est l'obsession d'une langue nouvelle qui agite les poètes comme les peintres et les musiciens. A-t-elle été étrangère à Baudelaire ? Rimbaud l'a dit, sévèrement : « La forme si vantée en lui est mesquine : les inventions d'inconnu réclament des formes nouvelles ».

Il s'est vanté d'être un rhéteur, c'est-à-dire de connaître et d'exploiter le répertoire des procédés traditionnels. Il leur a emprunté les ressources de mouvement dont il était mal pourvu. Il a usé heureusement de l'allitération et de l'assonance. Il a réhabilité l'allégorie. Sa langue est pauvre, et les termes abstraits y occupent une place

étonnante. Si l'on veut utiliser les mots-clés pour pénétrer les secrets de l'écrivain, on relèvera, dans l'ordre
des fréquences, ceux de « cœur », puis, loin derrière,
« âme », « ciel », « amour » et « aimer », puis « corps »,
« fond », « parfum », « beauté » et « beau », « douleur »,
« mort », « éternel »... La versification paraît rarement
originale ou hardie, et il n'a été qu'exceptionnellement
un créateur de rythmes. Mais il a tiré un admirable parti
de la sonorité des rimes et des libertés qu'il prenait dans
la disposition des vers.

Son originalité apparaît quand on se dégage des consi-
dérations usuelles. Elle est d'abord dans l'invasion de la
poésie par la prose. Non pas simplement dans une irrup-
tion accidentelle, comme celle qu'appellent un jugement
moral, un spectacle médiocre, un vocabulaire technique
ou trivial, mais dans une pénétration en profondeur, qui
alourdit l'élan du poète. Elle peut conduire à effacer
ou à ralentir le rythme des vers, à user de rimes plates
et de la strophe la plus unie, à négliger la règle de l'alternance, aux irrégularités et aux répétitions, aux comparai-
sons plates ou crues. Elle permet aux images, aux beaux
vers, aux phrases musicales de prendre tout leur éclat.
Mais elle n'est pas un prosaïsme : prose nue et poésie
pure se fondent et la poésie s'en renforce, envoûtement
monotone et pesant.

Pour l'essentiel, du reste, cette poésie ne dépend
guère des ressources propres du vers. Elle peut être un
recours aux arts voisins, à la peinture notamment. Elle
naît des sensations que les mots appellent en nous, qui
se croisent, résonnent et plongent, adaptée, avant les
poèmes en prose, « aux mouvements lyriques de l'âme,
aux ondulations de la rêverie, aux soubresauts de la
conscience ». Une mystérieuse alchimie les transforme
en un pullulement d'images et leur donne cette vibration que Victor Hugo appelait « un frisson nouveau ».
Si ces images se déplacent en un « cortège discipliné »,
elles ignorent la discrétion du bon goût, et leurs expressions brutales, leurs dissonances, leurs parfums lourds,
sensuels, sur un fond de frôlements et de douceur feutrée
ont heurté le XIXᵉ siècle. L'imprévu, l'effet de choc n'en
sont pas les nouveautés les moins frappantes.

L'art de Baudelaire, conscient de lui-même, s'écarte
de la littérature. Il efface l'objet et vise à rendre, directement, l'ordre poétique. Pour lui déjà, les valeurs essen-
tielles sont incluses dans le style.

JUGEMENTS D'ENSEMBLE

La première étude critique consacrée aux *Fleurs du Mal* est celle que GUSTAVE BOUR-
DIN donna dans *Le Figaro* du 5 juillet 1857 :

« J'ai lu le volume, je n'ai pas de jugement à prononcer,
« pas d'arrêt à rendre; mais voici mon opinion [...]
« Il y a des moments où l'on doute de l'état mental
« de M. Baudelaire, il y en a où l'on n'en doute plus;
« — c'est, la plupart du temps, la répétition monotone
« et préméditée des mêmes mots, des mêmes pensées. —
« L'odieux y coudoie l'ignoble; — le repoussant s'y
« allie à l'infect. [...]
« Jamais on n'assista à une semblable revue de démons,
« de fœtus, de diables, de chloroses, de chats et de ver-
« mine. — Ce livre est un hôpital ouvert à toutes les
« démences de l'esprit, à toutes les putridités du cœur.[...]
« Si l'on comprend qu'à vingt ans l'imagination d'un
« poète puisse se laisser entraîner à traiter de semblables
« sujets, rien ne peut justifier un homme de plus de
« trente, d'avoir donné la publicité du livre à de sembla-
« bles monstruosités. »

Les jours suivants, alors qu'on parlait déjà de poursuites, la querelle prenait de
l'ampleur. Le 12 juillet, *Le Figaro* revenait à la charge. Le 13, FLAUBERT écrivait une
lettre enthousiaste :

« Franchement cela me plaît et m'enchante.
« Vous avez trouvé moyen de rajeunir le romantisme.
« Vous ne ressemblez à personne (ce qui est la première
« de toutes les qualités). L'originalité du style découle
« de la conception. La phrase est toute bourrée par
« l'idée, à en craquer.
« J'aime votre âpreté, avec ses délicatesses de langage
« qui la font valoir, comme des damasquinures sur une
« lame fine. [...]
« En résumé, ce qui me plaît avant tout dans votre
« livre, c'est que l'art y prédomine. Et puis vous chantez
« la chair sans l'aimer, d'une façon triste et détachée qui
« m'est sympathique. Vous êtes résistant comme le
« marbre et pénétrant comme un brouillard d'Angle-
« terre. »

Le 14, *Le Moniteur universel* intervenait. ÉDOUARD THIERRY, à qui Henry Becque
devra plus tard de pouvoir faire jouer *Les Corbeaux*, parlait de « chef-d'œuvre » et
défendait Baudelaire :

« Le poète ne se réjouit pas devant le spectacle du
« mal. Il regarde le vice en face, mais comme un ennemi
« qu'il connaît bien et qu'il affronte. [...] Il parle avec
« l'amertume d'un vaincu qui raconte ses défaites. [...]
« Je le rapproche de Dante, et je réponds que le vieux
« florentin reconnaîtrait plus d'une fois dans le poète
« français sa fougue, sa parole effrayante, ses images
« implacables et la sonorité de son vers d'airain. »

Ce fut du reste le seul article favorable qu'ait accepté la grande presse. Au contraire,
Z.Z.Z., dans le *Journal de Bruxelles* du 15, pouvait renchérir sur Gustave Bourdin :

« « Je vous parlais récemment de *Madame Bovary*, ce
« scandaleux succès, qui est à la fois une ignominie
« littéraire, une calamité morale et un symptôme social.
« Ce hideux roman de *Madame Bovary* est une lecture
« de piété en comparaison d'un volume de poésies qui
« vient de paraître, ces jours-ci, sous le titre de *Fleurs*
« *du Mal*. L'auteur est un M. Baudelaire, qui a traduit
« Edgar Poe, et qui, depuis dix ans, passe pour un grand
« homme dans un de ces petits cénacles d'où partent les
« immondices de la presse bohème et réaliste. Rien ne
« peut donner une idée du tissu d'infamies et de saletés
« que renferme ce volume. Les amis de l'auteur en sont
« épouvantés, et se hâtent de proclamer une chute, de
« peur que la police n'intervienne : les citations mêmes
« ne sont pas possibles à une plume honnête. C'est par
« là et par un sentiment de dégoût, plus fort que tout le
« reste, que M. Baudelaire échappera au fouet des gens
« qui se respectent. »

La rumeur fut longue à s'apaiser. Des amis, des critiques disaient à mi-voix leur
sympathie ou leur admiration. D'autres, en plus grand nombre, se montraient incom-
préhensifs, ironiques ou hostiles. Le moins perfide n'était pas LOUIS MÉNARD, ancien
ami et condisciple de l'auteur, qui écrivait dans la *Revue philosophique et religieuse* de
septembre 1857 :

« M. Baudelaire voudrait passer pour un méchant
« diable, aux doigts crochus, au pied fourchu. En lisant
« son livre, on se le figure tout autre : ce doit être un
« grand garçon un peu gauche, avec une longue redin-
« gote noire, le teint jaune, les yeux myopes et des cheveux
« de séminariste. [...] Son mal réel est d'avoir vécu dans
« un monde fantastique, tout peuplé d'ombres malsaines,
« qui se dissiperaient au contact de la réalité comme les
« élucubrations des moines se dissipaient au chant du
« coq. Les rêves n'ont pas de corps. Qu'il laisse là les
« poètes de la Renaisance et les charniers romantiques
« de 1830. Qu'il entre dans la vie commune, et il saura

« revêtir de cette forme qu'il possède à un si haut degré
« des créations vivantes et saines. Il sera père de famille
« et publiera des livres qu'il pourra faire lire à ses enfants. »

La seconde édition suscita plus de commentaires, mais d'un ton moins passionné :
quelques mots aimables ici, ailleurs l'éloge de la forme mêlé à des regrets sur la corruption du sujet. Dans les mois suivants, plusieurs grands écrivains se manifestaient
enfin publiquement. Les études de Leconte de Lisle, de Sainte-Beuve, de Gautier,
ont en commun d'être des articles de complaisance et de remerciement, et, plus ou
moins sincères, élogieux assurément, de ne jamais mettre *Les Fleurs du Mal* à leur juste
place. Voici par exemple ce que SAINTE-BEUVE, saisissant l'occasion de sa candidature
à l'Académie, écrit de son « cher enfant » :

« On s'est demandé d'abord si M. Baudelaire, en se
« présentant, voulait faire une niche à l'Académie, et
« une épigramme; s'il ne prétendait point l'avertir par
« là qu'il était bien temps qu'elle songeât à s'adjoindre ce
« poëte et cet écrivain si distingué et si habile dans tous
« les genres de diction, Théophile Gautier, son maître.
« On a eu à apprendre, à épeler le nom de M. Baudelaire
« à plus d'un membre de l'Académie, qui ignorait totale-
« ment son existence. Il n'est pas si aisé qu'on le croirait
« de prouver à des académiciens politiques et hommes
« d'État comme quoi il y a, dans *Les Fleurs du Mal*, des
« pièces très remarquables vraiment pour le talent et
« pour l'art; de leur expliquer que dans les petits poëmes
« en prose de l'auteur, *Le vieux Saltimbanque* et *Les*
« *Veuves* sont des bijoux, et qu'en somme M. Baudelaire
« a trouvé moyen de se bâtir, à l'extrémité d'une langue
« de terre réputée inhabitable et par delà les confins du
« romantisme connu, un kiosque bizarre, fort orné, fort
« tourmenté, mais coquet et mystérieux, où on lit de
« l'Edgar Poe, où l'on récite des sonnets exquis, où
« l'on s'enivre avec le haschich pour en raisonner après,
« où l'on prend de l'opium et mille drogues abominables
« dans des tasses d'une porcelaine achevée. Ce singulier
« kiosque, fait en marqueterie, d'une originalité concertée
« et composite, qui, depuis quelque temps, attire les
« regards à la pointe extrême du Kamtschatka roman-
« tique, j'appelle cela la folie Baudelaire. L'auteur est
« content d'avoir fait quelque chose d'impossible, là où
« on ne croyait pas que personne pût aller. » (20 janvier
« 1862.)

Cependant, des jeunes gens découvraient *Les Fleurs du Mal*. En Angleterre, Swinburne, dans le *Spectator*, louait un art « parfait et plus délicat que celui d'aucun autre
homme vivant » (6 septembre 1862). En 1866, il écrira, en l'honneur de Baudelaire, la
très belle ode *Ave et Vale* (*Poems and Ballads*, II) que d'aucuns tiennent pour son chef-
d'œuvre. En France, Villiers de l'Isle-Adam, Verlaine se proclamaient ses disciples.
En avril 1864, MALLARMÉ écrivait la *Symphonie littéraire* , où il chantait son émotion :

« L'hiver, quand ma torpeur me lasse, je me plonge
« avec délices dans les chères pages des *Fleurs du Mal*.
« Mon Baudelaire à peine ouvert, je suis attiré dans un
« paysage surprenant qui vit au regard avec l'intensité
« de ceux que crée le profond opium. Là-haut, et à
« l'horizon, un ciel livide d'ennui, avec les déchirures
« bleues qu'a faites la Prière proscrite. [...] Le ciel qu'éclaire
« enfin un second rayon, puis d'autres, perd lentement sa
« lividité, et verse la pâleur bleue des beaux jours d'oc-
« tobre, et bientôt, l'eau, le granit ébénéen et les pierres
« précieuses flamboient comme aux soirs les carreaux
« des villes : c'est le couchant. O prodige, une singulière
« rougeur, autour de laquelle se répand une odeur eni-
« vrante de chevelures secouées, tombe en cascades du
« ciel obscurci! [...] Enfin, des ténèbres d'encre ont tout
« envahi où l'on n'entend voleter que le crime, le remords
« et la Mort. Alors je me voile la face, et des sanglots,
« arrachés à mon âme moins par ce cauchemar que par
« une amère sensation d'exil, traversent le noir silence. »

La situation de Baudelaire ne devait guère changer jusqu'en 1910. Les jeunes poètes
(Laforgue et Régnier en particulier), les revues symbolistes, lui vouaient un culte.
Grâce à eux, quelques privilégiés pouvaient traverser les apparences de la « névrose »
et du « dandysme » pour pénétrer plus avant dans l'œuvre. La critique restait peu
compréhensive. On retiendra seulement l'important essai de PAUL BOURGET, paru en
1881 dans la *Nouvelle Revue*, sympathique et lucide :

« Trois hommes vivent à la fois dans cet homme,
« unissant leurs sensations pour mieux presser le cœur
« et en exprimer jusqu'à la dernière goutte la sève rouge
« et chaude. Ces trois hommes sont bien modernes,
« et plus moderne est leur réunion. La crise d'une foi
« religieuse, la vie à Paris et l'esprit scientifique du temps
« ont contribué à façonner, puis à fondre ces trois sortes
« de sensibilités, jadis séparées jusqu'à paraître irréducti-
« bles l'une à l'autre, et les voici liées jusqu'à paraître
« inséparables, au moins dans cette créature, sans analogue
« avant le XIXe siècle français, qui fut Baudelaire. »

Mais le public cultivé s'en tenait à l'opinion de BRUNETIÈRE :

« Baudelaire est l'une des idoles de ce temps, — une
« espèce d'idole orientale, monstrueuse et difforme,
« dont la difformité naturelle est rehaussée de couleurs
« étranges, et sa chapelle une des plus fréquentées. Indé-
« pendants et décadents, symbolistes et déliquescents,
« dandys de lettres et wagnérolâtres, naturalistes mêmes,
« c'est là qu'ils vont sacrifier, c'est là qu'ils s'enivrent
« enfin des odeurs de corruption savante et de perversité

« transcendantale qui se dégageraient, à ce qu'ils disent,
« de leurs *Fleurs du Mal.* » (*Revue des Deux Mondes,*
« 1er juin 1887.)

Après 1910, et plus fortement encore après 1917, date où son œuvre tombait dans
le domaine public, Baudelaire était porté par le flot de l'art nouveau. Les *Études* de
Jacques Rivière (1911), l'*Essai sur Baudelaire* d'André Suarès (1911), ouvraient la
route aux innombrables travaux de la critique contemporaine. Les plus grands artistes,
les plus grands penseurs, y apportaient leur tribut : Apollinaire, Gide, Claudel, Proust,
Valéry, Sartre... L'auteur des *Fleurs du Mal* atteignait enfin son public. On saluait en
lui le premier poète moderne, le maître à écrire et le cher compagnon de toutes les
infortunes :

« Baudelaire est au comble de la gloire.
« Ce petit volume des *Fleurs du Mal*, qui ne compte
« pas trois cents pages, balance dans l'estime des lettrés
« les œuvres les plus illustres et les plus vastes. [...]
« Le devoir, le travail, la fonction du poète sont de
« mettre en évidence et en action ces puissances de
« mouvement et d'enchantement, ces excitants de la vie
« affective et de la sensibilité intellectuelle, qui sont
« confondus dans le langage usuel avec les signes et les
« moyens de communication de la vie ordinaire et superfi-
« cielle. Le poète se consacre et se consume donc à
« définir et à construire un langage dans le langage;
« et son opération, qui est longue, difficile, délicate,
« qui demande les qualités les plus diverses de l'esprit,
« et qui jamais n'est achevée comme jamais elle n'est
« exactement possible, tend à constituer le discours d'un
« être plus pur, plus puissant et plus profond dans ses
« pensées, plus intense dans sa vie, plus élégant et plus
« heureux dans sa parole que n'importe quelle personne
« réelle. » (PAUL VALÉRY, *Situation de Baudelaire,* 1924.)

THÈMES DE RÉFLEXION

1. Au début de son étude sur Baudelaire (1947), J.-P.
Sartre se demandait : « Est-il donc si différent de l'existence qu'il a menée ? Et s'il avait mérité sa vie ? Si, au
contraire des idées reçues, les hommes n'avaient jamais
que la vie qu'ils méritent ? » Comment répondriez-vous
à ces questions ?

2. En 1916, Tristan Tzara disait : « La poésie n'est pas
uniquement un produit écrit, une succession d'images et

de sons, mais une manière de vivre. » N'est-ce pas à Baudelaire que l'on doit cette association étroite de l'éthique et de l'esthétique ?

3. Expliquez ce jugement de Paul Valéry : « On voit enfin, vers le milieu du XIXᵉ siècle, se prononcer, dans notre littérature, une volonté remarquable d'isoler définitivement la Poésie de toute autre essence qu'elle-même. Une telle préparation de la poésie à l'état pur avait été prédite et recommandée avec la plus grande précision par Edgar Poe. Il n'est donc pas étonnant de voir commencer dans Baudelaire cet essai d'une perfection qui ne se préoccupe plus que d'elle-même. »

4. Dans sa Préface à l'édition définitive des *Fleurs du Mal*, Théophile Gautier a écrit : « Autant que possible, il bannissait de la poésie l'éloquence, la passion et la vérité calquées trop exactement. De même qu'on ne doit pas employer directement dans la statuaire les morceaux moulés sur nature, il voulait qu'avant d'entrer dans la sphère de l'art, tout objet subît une métamorphose qui l'appropriât à ce milieu subtil, en l'idéalisant et en l'éloignant de la réalité triviale. » N'y a-t-il pas dans ces propos un rappel des idées classiques sur l'imitation et une définition de l'idéal de Gautier lui-même plutôt qu'une analyse de l'art de Baudelaire ?

5. Expliquez, illustrez et commentez cet éloge du sonnet : « Parce que la forme est contraignante, l'idée jaillit plus intense. Tout va bien au sonnet : la bouffonnerie, la galanterie, la passion, la rêverie, la méditation philosophique. Il y a, là, la beauté du métal et du minéral bien travaillés. Avez-vous observé qu'un morceau de ciel, aperçu par un soupirail ou entre deux cheminées, deux rochers ou par une arcade, donnait une idée plus profonde de l'infini que le grand panorama vu du haut d'une montagne ? » (Baudelaire, lettre du 19 février 1860.)

6. A ceux qui lui reprochaient d'avoir écrit *Les Fleurs du Mal*, Baudelaire n'aurait-il pu répondre, comme Lautréamont allait le faire : « Hélas ! qu'est-ce donc que le bien et le mal ? Est-ce une même chose par laquelle nous témoignons avec rage notre impuissance, et la passion d'atteindre à l'infini par les moyens même les plus insensés ? » *(Les Chants de Maldoror.)*

7. Dans quelle mesure cette analyse de Jean Prévost vous aide-t-elle à comprendre le plaisir que vous prenez aux poèmes les plus violents ou les plus sombres des *Fleurs du*

Mal! « La poesie nous garde d'improviser ou d'errer. L'émotion vraie ne sait où elle va, elle se noue et s'aggrave d'elle-même. Elle s'étouffe, elle nous étrangle faute de pouvoir s'exprimer, elle trouble l'esprit par un désordre d'ignorance et d'angoisse. L'émotion qui nous vient des vers reste guidée et limitée par les formes du poème. Transmise par l'expression, nous gardons devant elle cet ascendant, ce soulagement, de pouvoir la connaître et l'exprimer tout entière. » (*Baudelaire*, 1953.)

8. Commentez cette opinion d'Antoine Adam : « L'essentiel des *Fleurs du Mal*, c'était la bouleversante traduction d'une expérience de la vie. Expérience de la monotonie des jours, de la solitude, de l'angoisse. Expérience de cette lente marche vers le terme inévitable, vers la mort. Expérience du temps, de son poids qui nous écrase, de nos efforts pour lui échapper, de leur échec. Mais non pas aveu d'une lâche défaite. Baudelaire accepte de vivre dans un monde absurde et cruel. Il accepte que le Ciel soit vide. Et s'il voit que la malédiction de l'existence est multipliée à l'infini par la conscience, il affirme sans s'effrayer que cette conscience dans le Mal est aussi la gloire de l'homme. » (*Les Fleurs du Mal*, 1960.)

9. André Gide a écrit : « La forme, cette raison de l'œuvre d'art, est ce dont le public ne s'aperçoit jamais que plus tard. La forme est le secret de l'œuvre. Cette harmonie des contours et des sons, où l'art du poète se joue, Baudelaire ne l'accepte jamais tout acquise; il l'obtient par sincérité, il la conquiert et il l'impose. » Expliquez.

10. Ne serait-il pas possible de mettre en épigraphe des *Fleurs du Mal* cette phrase d'Edgar Poe : « J'offre ce livre à ceux qui ont mis leur foi dans les rêves comme dans les seules réalités. » ?

11. Expliquez et discutez ces lignes de M. A. Ruff : « La vraie descendance de Baudelaire n'est pas Verlaine, ni Mallarmé, ni Valéry, bien que leurs œuvres lui rendent hommage, chacune à sa manière. C'est Lautréamont, c'est Rimbaud, c'est même Jarry et c'est le surréalisme. » (*L'Esprit du Mal et l'Esthétique baudelairienne*, 1955.)

12. Diderot, qui aimait avant tout la « vérité de nature », écrivait dans son *Salon de 1765 :* « Le goût de l'extraordinaire est le caractère de la médiocrité. Quand on désespère de faire une chose belle, naturelle et simple, on en tente une bizarre. » Voyez-vous là une condamnation anticipée de l'art moderne, et de celui de Baudelaire en particulier ?

TABLE ALPHABÉTIQUE

Imprimé en France par FIRMIN-DIDOT S.A.
Dépôt légal : 4ᵉ trimestre 1979
Nº d'impression : 5619